Ⓢ新潮新書

金敬哲
KIM Kyungchul

韓国
超ネット社会の闇

958

新潮社

はじめに

２０２０年の米・アカデミー賞で、作品賞をはじめとする４つの部門を受賞したポン・ジュノ監督の『パラサイト～半地下の家族』は、韓国映画界にとってエポックメイキングな作品となった。一方、21年にブームを巻き起こしたNetflixのオリジナルドラマ『イカゲーム』は、『パラサイト』で注目を集めた韓国の動画コンテンツの地位を押し上げ、韓国のエンタメ作品は世界市場でも不動の地位を手に入れたとも思える。

『イカゲーム』の脚本と演出を担当したファン・ドンヒョクは、10年ほど前からこの作品を構想してきた。当時、漫画喫茶によく出入りし、日本のデス・ゲーム物の漫画を好んで読んでいた彼は、『賭博黙示録カイジ』、『LIAR GAME』、『バトル・ロワイアル』などの作品を読みながら、それぞれの作品の設定を韓国の現状に結びつけようと考えていたという。

09年、ファンは1年余の歳月をかけて、巨額の借金を背負うなど、人生のがけっぷちに立たされた人々が密閉された空間で命をかけて巨額の賞金を争奪するというシナリオを完成させた。ファンはそのシナリオを持って映画制作会社の門を叩いて回ったが、いずれからも断られてしまう。制作会社側の評価は、「現実感に欠ける」「荒唐無稽な話」というものばかりだった。

それからおよそ10年、このシナリオは、Netflix のオリジナルドラマとしてようやく日の目を見ることになった。ファン監督はのちにインタビューで、「みんなから駄目だと言われたが、Netflix ならばできる、ということを見せてくれた」と述べている。

16年、韓国でサービスを開始したNetflix は、韓流ドラマがアジア地域を超え、世界市場に打って出るのに決定的な役割を果たした。日本で第4次韓流ブームを巻き起こした『愛の不時着』や『梨泰院（イテウォン）クラス』もNetflix を通じて配信された。日本国内における韓流ドラマのメインプラットフォームがＤＶＤからＯＴＴ（ネット回線を通じて行われるコンテンツ配信サービス）に変わったことで、若い韓流ドラマファンが大挙して流入したのだ。

他方、YouTube はＫ‐ＰＯＰが世界進出するのに大きな貢献をした。きっかけは、12年にPSY（サイ）の『江南（カンナム）スタイル』がYouTube を通じて米国で大きな人気を博したことだった。中小零細プロダクションの出身で、テレビなどのレガシー・メディアにはほとんど出演することができなかったBTSは、広報戦略をYouTubeなどのニューメディアに集中することで世界的なアイドルに成長した。

このように、韓国の文化コンテンツは〝少数の主流〟が独占するレガシー・メディアではなく、多様化するニューメディアを積極的に活用することで世界に活路を見出し、「Ｋカルチャー」という一つのジャンルを構築するまでに至った。そして、その背景には、ＩＴ大国を標榜する韓国独自のインフラ整備などがあるといわれる。

22年3月に行われた韓国の大統領選においてもＩＴがフルに活用された。韓国人がニュースに接するプラットフォームは、新聞や放送ではなく、すでにＳＮＳやYouTubeなどへと移っている。そのような状況で、各候補はＩＴやネットを活用した選挙戦に集中することになった。

野党「国民の力」候補だった尹錫悦（ユン・ソクヨル）は、ＡＩを活用して自分のアバターを作り、ネットユーザーとコミュニケーションを取ったり、YouTubeのショート映像を活用したりして、若者から人気を集めた。一方、与党「共に民主党」候補の李在明（イ・ジェミョン）は、メタバース（ネット上の仮想空間）に選挙事務所を構え、公約をＮＦＴ（非代替性トークン）で発行するなどし、話題を集めた。

さらに、新型コロナ・パンデミック下の韓国経済を支えたのもITインフラだ。「韓国版アマゾン」と呼ばれるネット通販大手のクーパンは、21年に米ニューヨーク証券取引所に上場されて以来、年間売り上げで日本の楽天を超え、アジア最大のEコマース会社へと成長した。韓国経済の大黒柱と言われるサムスン電子は、21年、半導体特需で史上最高額となる280兆(ウォン)の売り上げを記録し、22年には300兆(ウォン)を突破するとみられている。

と同時に、IT中心の社会は様々な副作用も経験している。選挙シーズンになると、オンライン上では選挙結果に影響を及ぼそうとする世論操作が絶えず試みられる。13年の大統領選では、国家の安全保障を担当する国家情報院がネット世論担当チームを組織して世論を操作。17年の大統領選では、当時候補者だった文在寅(ムン・ジェイン)の陣営関係者がネット上に存在した「文在寅ファンクラブ」の会員に指示し、捏造プログラムまで動員してライバル候補を誹謗中傷した。残念ながら、22年の大統領選挙でも、同様の行為の痕跡がいたるところで発見されている。ネット世論を味方につけることばかりに執心した候補者らは、国政運営に対する哲学を示すことなく、脱毛治療の保険適用やゴルフ場料金の引き下げなど、枝葉末節の公約を乱発することになった。

さらに匿名を悪用したヘイト表現や悪質な書き込み、偽のニュースが氾濫し、ユーザーたちを扇動し続けている。一部の極端な意見が拡散し、大衆の共感を得たかのような〝世論〟に化ける。そして、これがニューメディアからレガシー・メディアを経由して現実世界に蔓延し、社会を揺るがす問題を引き起こすこともしばしばだ。

「ノードＶＰＮ」というグローバル企業が、世界各国のネットユーザーを対象に行った研究調査によると、韓国人が一生涯のうちネットに割く時間は34年間にも上り、アジア諸国の中で最も長い。20年の韓国人の平均寿命は83・5歳だから、人生のおよそ40％もの時間をネットに費やしていることになる。これは、米国の21年、日本の11年と比べても遥かに多い時間だ。

人間がネットに取り込まれていく流れはこれからとどまることはなく、より一層拡大していくのは間違いないだろう。ということは、韓国の現状はある意味で世界の未来予想図と言えるかもしれない。10年後、20年後の世界が現代の韓国社会に胚胎しているのだとしたら、韓国社会を理解しなければならないし、そのためには、韓国のネット文化を知らなければならない。韓国社会の繁栄を導くと同時に、韓国に暗い影を落としている韓国独特のネット文化は、日本の読者にどのような姿で映るだろうか。

本文中に登場する人物の敬称は省略する。

特にことわりがない限り、10ウォン＝1円とする。

韓国　超ネット社会の闇　　目次

第2章　IT大国の光と陰　69

第5章　ＩＴ化でディストピアに片足を突っ込んだ 179

第１章　ネット狂奔の大統領選とＳＮＳの魔力・威力・神通力

世界で初のネット選挙は韓国から

２０２２年３月９日に行われた大統領選挙では、尹錫悦（ユン・ソクヨル）候補が０・73％という僅差で勝利し、韓国では５年ぶりに保守政権が発足した。検察総長出身の尹が出馬を表明してからたった８カ月の政治経験で大統領の座に就いたのは、文在寅（ムン・ジェイン）政権に失望した韓国国民の政権交代を求める声がそれだけ強かった証だろう。

この選挙について本格的に語る前に、〝前座〟的な事柄から触れておきたい。

選挙にネットが本格的に活用され始めたのは、１９９８年の米ミネソタ州知事選挙だといわれている。共和党と民主党、どちらでもない第３党の候補として出馬した元プロレスラーのジェシー・ベンチュラ（Jesse Ventura）は、ホームページを積極的に活用した。資金不足のため、ホームページで自分の人形を売って調達したり、投票３日前にホームページを通じて知り合った３０００人の支持者に投票を促すメールを送ったりするなどし、当選することに成功する。

　実は、韓国の選挙でネットが活用され始めたのは、これよりも1年早い97年の第15代大統領選挙だった。当時、革新系の金大中（キム・デジュン）候補と保守系の李会昌（イ・フェチャン）候補がそれぞれホームページを開設したのだ。金大中大統領時代に行われた00年4月の総選挙では、50％を超える候補者がホームページを開設している。

　この総選挙では、候補者だけでなく市民団体がネットを活用して政界に影響力を行使するきっかけも作られた。総選挙を控えた時期には、実に４７０を超える市民団体が連合して「総選挙市民連帯」を結成。改革と政治浄化を目標に腐敗政治家のリストを発表し、彼らの落選運動を繰り広げると宣言したのだ。

　偶然にも落選運動対象者の大半が保守系の野党候補だったため、金大中政権と革新系の与党が市民団体を装って不正選挙を行おうとしているとの疑惑も湧き起こり、野党側はこの連帯を選挙法違反で裁判所に告発した。

　これに対し、裁判所が下した判断は「落選対象者のリストを発表するだけなら合法。それを印刷したものを配ったり、垂れ幕として掲げたりすることは違法」というものだった。この判決によって、落選運動は現実世界ではなく、ネットという仮想空間で繰り広げられることになったのだ。

結果は連帯側の思うままだった。ホームページを中心に展開された落選運動により、リスト掲載者86人のうち、実に59人もの候補者が選挙で落選したのだ。4年後の04年に行われた第17代総選挙でも繰り返され、標的となった候補の63％が落選することになった。その後落選運動は常態化し、市民団体は本格的に幅を利かせるようになる。

02年の第16代大統領選挙では、ネット上で自然発生的に生まれた盧武鉉（ノ・ムヒョン）候補のファンクラブ「ノサモ（盧武鉉を愛する人たちの会（ノムヒョンタル・サランハヌン・モイム））」が、盧の当選に決定的な役割を果たした（後述）。

ノサモ以後、ネット上では有力政治家たちのファンクラブが結成され、政治家たちの後援者兼親衛隊を自任しながら、世論形成において重要な役割を果たすようになった。

小中学生の完全無償給食という政策で市議会と対立していた呉世勲（オ・セフン）ソウル市長の辞任を受けて実施された11年10月のソウル市長選挙は、ＳＮＳの威力を見せつけた。強固な組織力を誇る政権党の女性候補・羅卿瑗（ナ・ギョンウォン）に対抗して出馬した市民団体出身で野党候補の朴元淳（パク・ウォンスン）は、不足する組織力の代わりにTwitterを中心にしたＳＮＳ戦で圧倒的な優位を占め、勝利を手にした。

ネットを基盤とするニューメディアの登場も、選挙に影響を及ぼし始めた。例えば「ポップキャスト放送」は、羅卿瑗が年会費1億(ウォン)もする清潭洞(チョンダムドン)スキンケアクリニックのＶＩＰ会員であるという情報を暴露し、彼女が贅沢で浪費が好きな政治家という印象を植え付けることに成功した。このニュースはＳＮＳを通じて急速に広がり、選挙の争点にまで浮上。選挙後の検察による捜査を受け「誤報」と判明したが、選挙時に羅氏に決定的なダメージを与え、落選の憂き目に。ＳＮＳやニューメディアが選挙に大きな影響力を持ち始めた事件と言えるだろう。

11年12月、ネットによる選挙運動を禁止する選挙法関連条項の違憲判決が下され、韓国では選挙においてＳＮＳが本格的に活用されるようになった。これらは、若い青年層の積極的な政治参加も促進させることになった。

ネットやＳＮＳでの選挙運動が認められた最初の大統領選挙である12年の第18代大統領選挙では、朴槿恵(パク・クネ)候補と文在寅候補がそれぞれ「ニューメディア専門チーム」を発足させ、ＳＮＳを活用した広報とネガティブ・キャンペーンへの対応に力を入れた。TwitterやFacebookの活用で文在寅候補に後れを取っていた朴槿恵候補は、KakaoTalk（カカオトーク／第2章）を活用した選挙戦略に集中。カカオトークとは日本のＬＩＮＥ

のようなスマホで使われる１対１チャットアプリで、12年当時、韓国人の約60％に当たる３６００万人がアカウントを有しているといわれた巨大ＳＮＳである。朴槿恵側のこの戦略が功を奏したのは言うまでもない。

韓国の00年以降の主要な選挙を見ると、いずれもネットをうまく活用した候補が有利だったという共通点が浮かび上がる。

このような経緯から、22年に行われた大統領選挙でも、新しいタイプのネットやＳＮＳの活用が各陣営最大の課題となり、メタバース（ネット上の仮想空間と、そこで提供されるサービス）、ＡＩ（人工知能）、ＮＦＴ（非代替性トークン）など最新ＩＴの寵児たちが選挙に総動員された。

コロナ禍が拍車をかけたＳＮＳ選挙

第20代大統領選挙は、徹底した「コロナ防疫指針」の下で進められ、候補者たちは、選挙戦の中盤まで、街頭演説や遊説をほとんど行えない状態を強いられた。「３密」を極度に警戒するコロナ防疫で、広場での大規模演説会は制限され、全国津々浦々を巡り、有権者一人一人の手をとって支持を求めるような伝統的な選挙運動はもはや不可能となってしまった。

例えば、与党・共に民主党の候補だった李在明(イ・ジェミョン)は選挙期間中、遊説バスに乗って全国を回り、各地の有権者の声を聞くという構想を立てていた。ところが、コロナ感染者との密接な接触が発覚し、この計画は数回のうちに中止。李陣営の貴重な時間と体力を奪い、足を引っ張る結果だけをもたらした。

コロナ禍の大統領選に苦戦したのは、野党・国民の力の候補で当選した尹錫悦も同じ。あるビアホールで行われた集会が防疫規則に違反していると店主側に通報され、警察が現場に出動する事態に発展。コロナ禍での対面遊説が、多くの有権者から非難を浴びることになった。

結局、与野党共に有権者に直接会うことを自制し、ネットを通じた有権者とのコミュニケーションに注力せざるを得なくなった。「組織力」や「地域の基盤」を土台にした従来の選挙運動ではなく、ネット上で有権者の関心を引き、票を集めるという選挙戦略が勝敗に直結することになったのだ。

実は韓国では、ネットを活用した選挙戦略においては、左派陣営の政治家の方が強みを発揮できるとされてきた。理由は、保革の〝年代差〟だ。

年齢層が比較的高い保守の支持者たちに比べ、左派の支援者の年齢層は低い。韓国では別の説もあるが、「90年代に30代だった、80年代の民主化闘争に加わった60年代生まれの人たち」を「３８６世代」と呼び、現在50代に突入した彼らを「５８６世代」と呼ぶ。

そんな彼らは、韓国にパソコンが普及し始めた80年代に初期のネット文化を享受した世代であり、左派の核心的な支持層と重なっているのだ。

つまり、コロナ禍における選挙環境は、李在明に絶対的に有利だった。さらに言えば、彼は左派政治家の中にあって、ネット戦略に長けている人物とされていた。最も積極的に使っているメディアはFacebookだ。

李在明は11年にFacebookが韓国でサービスを開始するといち早くアカウントを開設。そのフォロワー数は、大統領選時で約37万人（ページフォロワー数を合わせると60万人近く）にのぼり、往時に96万人のフォロワーを誇った文在寅大統領を除いて最も多くのフォロワーを擁する政治家といえる。

参考までに、20代男性の圧倒的な人気を集めて21年６月に国民の力代表に選ばれた李俊錫（イ・ジュンソク）でもフォロワー数は17万３０００人ほど（２０２２年5月時点）。保守派政治家の中では最も多くのフォロワー数を持つが、文在寅や李在明に比べれば全く及ばないことが分かる。

そんな李在明が「全国区の政治家」として知られるようになったのも、ネットを上手く利用してきたからだ。彼は京畿道城南市長時代から積極的にSNSを活用し、特有のストレートな話法で大衆の心をわしづかみにしてきた。オンライン上では熱烈な支持者たちによって「指革命軍」という集団まで形成された。彼の方も移動や休憩時間を惜しんでFacebookにメッセージを投稿し、支持者のコメントに返信を書き込み続けた。

李在明のFacebookが人気を博したのは、投稿されたのが政治関連の話題だけでなく、自らの生い立ちなどプライベートな話題に及んだことが理由だった。そこには、幼い頃から工場労働者として働いてきた話や、亡くなった母親との思い出、小学校の同窓生との邂逅など、個人的なエピソードも多く書かれている。10月に与党の大統領候補に選出された後は、さらに「ウェブ自叙伝」と題した記事を4カ月間、毎日連載した。これを要約すれば、次のようになる。

李在明は、64年に慶尚北道安東で貧農の息子として生まれた。貧しいゆえ、小学校を卒業してからは工場を転々としながら家計を助けた。少年工時代には工場のプレス機に腕が挟まれる事故に遭ったり、作業班長の殴打で耳を痛めて難聴に苦しんだり、劣悪な労働環境で様々な障害を持つことになった。

その後、勉強に没頭し、独学で検定試験を経てソウルにある中央大学法学部に入学。司法試験に合格して人権派弁護士の道を選択した。

李在明の57年の半生は、逆転に逆転を繰り返す成功ストーリー。李はこのウェブ自叙伝を通じて、自分が「土のさじ」出身であることを再三にわたって強調した。

韓国では、どんな「さじ」をくわえて育ったかによって階級が分かれるという、「さじ階級理論」が流行っている。「金のさじ」をくわえて育った人は最上流階級、一方、「土のさじ」で育った人は最下流で、親の富や社会的地位が子へ受け継がれるという自嘲混じりの理論である。そして、重要なのは、韓国人の半分以上が自分を「土のさじ」だと考えているということだ。

一方で尹錫悦は、日本の一橋大学経済学部に留学して名門大学の教授を務めた人物を父親に持ち、ソウルの有名私立小学校に通うなど裕福な幼少時代を送った。自身は韓国で最も偏差値の高いソウル大学の法学部出身で、検察総長にまで上り詰めたエリートの中のエリートだ。彼をさじ階級理論にあてはめると、もちろん「金のさじ」出身ということになる。

李在明はSNSで自分の貧しい生い立ちを過剰にアピールし、自分の出自を「土のさじ」だと思っている多くの有権者に尹錫悦との違いを強調しようと考えたのだ。

ところが、李在明のこの戦略は予想外の副作用も生むことになった。世界10位のGDPに成長した現代の韓国で〝貧困〟をことさらにアピールするその姿勢に首を傾げる有権者も多かったのだ。さらに、旺盛なSNS活動によって、不都合な過去も暴かれることになった。

彼のSNSが注目されるにつれ、城南市長時代、自身を批判する有権者に「トイレに行って便器に頭を打ちつけろ」「首の上にフナの頭を付けて生きているのか」といった暴言を浴びせた疑惑が浮上、ネット上で何度も炎上する結果となったのだ。

SNSが「両刃の剣」であることの好例といえるだろう。

SNS初心者・尹錫悦が犯した致命的なミス

法曹として検察総長に上り詰めたものの、政治家としては新米だった尹錫悦は、大統領選出馬まで一切SNS活動をしたことがなかった。尹の選挙運動に使われたSNS

は、21年6月に出馬を表明してからスタッフたちの助けを借りて開設したFacebook、Instagram、YouTubeなど、6つのチャンネルだ。

その経歴からややもすれば堅く見える印象を払拭するため、尹陣営はユニークな戦略を次々と打ち出した。

たとえば、あるSNSのプロフィール欄に自分を「愛妻家」「おしりたんてい」などと紹介。親しみやすいイメージを作ろうと腐心してきた。大統領選直前の22年3月時点で、彼のSNSのフォロワー数は、Facebookが7万5000人、Instagramが25万7000人（李在明は約31万1000人）、YouTubeは約30万人（李は約45万人）と、李に比べれば見劣りするものの、順調に伸ばしていた。

中でもネットユーザーたちの間で最も人気を集めたのが、トリという尹錫悦のペットの犬の名前で運営されていた「トリ・Instagram」だった。彼は動物保護施設から譲りうけた4匹の犬と3匹の猫を飼っていたが、その中の「長女」ことトリが一人称で書き込みをするInstagramを開設したのだ。

これに掲載された彼と動物たちの姿は、検察出身という堅いイメージを和らげたのに加え、約1100万人とも言われる韓国の犬・猫所有者に親近感を抱かせることに一定の効果があった。しかし21年10月21日、国民の力の大統領選候補を決定する予備選の終盤に、この投稿で崖っぷちに追い込まれる致命的なミスを犯してしまったのだ。

発端となったのは、10月19日に釜山を訪れた尹錫悦が党員たちを前に語った、全斗煥（チョン・ドゥファン）元大統領に対する次のような発言だ。

「全斗煥元大統領は、クーデターと『5・18（光州事件）』を除けば、良い政治をしたという人もいる。彼は、軍で組織管理の経験があり、専門家に国政を任せたのだ」「私も政権を握った暁には、最高の専門家を選び、適材適所に置いて、政策の実現に集中したい」

ここでいう「クーデター」とは、79年12月の出来事を指す。18年間にわたって韓国に軍政を敷いた朴正熙大統領が側近に殺害されたことをきっかけに、全斗煥が政権を掌握したのだ。全斗煥は国会や政府機関、大学、マスコミにまで戒厳軍を駐屯させ、徹底的な言論弾圧を行った。

そして80年5月18日、光州（クァンジュ）市で言論の自由を訴える市民のデモを全は武力で弾圧し、多くの民間人が虐殺された光州事件が発生。あろうことか尹錫悦は、韓国の現代史において「光州虐殺の主犯」「残酷な独裁者」という評価が定説となっている全斗煥元大統領を、「そこそこの善政を敷いた人物」と持ち上げてしまったのである。

確かに、全斗煥政権時代（1980～1987）は韓国の経済成長の黄金期で、毎年10%前後と驚異的な経済成長を記録した時期であった。特に、保守支持者の間では、全の経済政策を肯定的に評価するムードが強いのも事実である。尹錫悦からすれば、政治経験がないという自分の弱点を補うために、全の話を持ち出し、適材適所に専門家を登用して国政を運営するというビジョンを明らかにしたかったとの思惑が見え隠れする。

しかし、ほんの少しの不用意な発言が命取りとなるのがネットの世界。彼の発言はたちまち左派陣営やメディアを刺激し、5・18民主化運動の舞台となった光州をはじめ、全羅道（チョルラド）の有権者たちの強い反発を買うことになった。5・18民主化運動と関係のある様々な団体が尹に謝罪を要求し、メディアからも「妄言」という非難が起こった。

日本人には理解しにくいかもしれないが、韓国で5・18民主化運動は慰安婦問題と同じくらいデリケートなテーマとして知られている。要するに、先ほど紹介した「定説」と異なる説を述べることは一切許容されないのだ。

それが証拠に、共に民主党は21年1月、「5・18民主化運動に対して虚偽事実を流布することを禁止する」という、いわゆる歴史歪曲禁止法を新設している。全元大統領を肯定的に評価するような尹の発言は、正しいかどうかは別として政治家としての未熟さをそのままさらけ出すクリティカルな失言だったと言える。

しかも、ネットの世界を甘く見ていた尹錫悦は、「謝罪すべきだ」と助言する選挙スタッフらに対し、「発言の真意を説明すればいい」と反論するなど、初期対応を完全に誤ってしまう。結局、発言から2日が過ぎた10月21日になってFacebookを通じ、「不適切だという多くの方々の指摘と批判を謙虚に受け入れ、〝遺憾の意〟を表明する」と、一転謝罪を余儀なくされてしまった。

SNSはふぐ料理

尹錫悦が真正面から謝罪せず〝遺憾の意〟という遠回しな表現を使ったこともあって、有権者の批判を早期に収拾することはできなかった。さらにその夜、有権者たちの怒りに油を注ぐある事件が発生する。舞台となったのは再びトリ・Instagramだった。

件のInstagramに、飼い犬のトリに黄色いリンゴを与える写真がアップされた。写真の下には、「今日、お父さん（尹錫悦）が庭の木からリンゴを取ってきてくれました」という一文が添えられていた。この投稿はあっという間に炎上し、彼は一層、窮地に追いやられることになる。

韓国語で「リンゴ」の発音は「サグァ」。実は謝罪を表す韓国語も同じ「サグァ」なのである。すなわち、トリ・Instagramを目にした有権者たちは、彼が光州事件に対する批判を重く受け止めず、謝罪と同じ発音のリンゴを犬に与え、有権者をからかってみせたと怒り心頭に発したのである。

韓国語には、相手を侮蔑しようとするときに「犬より劣る人」「犬のような人」などと表現することがある。そのため、くだらない物や役に立たない物は「犬にでもやってしまえ」という慣用句があるほどである。もうお分かりかと思うが、彼の投稿は、「謝罪（サグァ）は犬にでもやってしまえ」という風に翻訳されてしまったのである。

慌てた尹錫悦側は、この投稿を1時間で削除。ところが、ネットメディアはもとより、主要新聞も翌日の朝刊でこの事件を報じた。単なるネット上のハプニングだったものが瞬く間にオンラインからオフラインに伝わり、彼は一夜にして「国民を犬として見ている大統領候補」と不本意なレッテルを貼られることになった。

尹錫悦側は「スタッフが軽はずみに写真を掲載したが、ミスを認めてすぐに削除した」「誤解を与えたことについて深くお詫びする」と繰り返し表明したが、非難は収まらなかった。さらに尹と同じ陣営であるはずの野党所属議員まで批判に加わり、尹はこの騒動について釈明に追われた。

結局、この事件直後、尹錫悦は大きく支持率を落とし、トリ・Instagram は閉鎖に追いやられてしまう。「飼い犬にリンゴを与える」という何気ない日常の一コマを投稿したに過ぎなかったはずが、選挙戦序盤に大きく躓くことになったのである。

その後、選挙戦略の全面改編が断行される。

22年1月、彼は、「キングメーカー」という異名を持つ選挙の達人、金鍾仁（キム・ジョンイン）選対委員長を解職するとともに選挙対策本部を解体。そして、「選挙運動は青年たちとともに」と掲げ、最年長でも満39歳という40人余の青年スタッフを陣営に投入し、若者が主軸となった選挙対策本部を設置した。

尹のこの決断は、国民の力の李俊錫（イ・ジュンソク）代表が主張してきた、いわゆる「世代包囲論」に基づいた戦略だった。共に民主党の確実な支持層が40代と50代である一方、国民の力の場合は60代以上の高齢層となる。「キャスティングボート」の役割をする20代と30代を国民の力の支持層に引き入れれば、選挙で勝てるという戦略だ。

29歳のチーム長が陣頭指揮する選挙本部メッセージチームが、20代や30代にターゲットを絞るＳＮＳコンテンツを次々と生み出したことで、尹側の選挙キャンペーンは画期的に変化した。

ＳＮＳの達人と言われる李俊錫代表はしばしば、ＳＮＳを「ふぐ」に、ＳＮＳを通じた選挙活動を「ふぐ料理」にたとえる。ふぐのように致命的な毒を持つＳＮＳは、その活用法をよく知っている人だけが成功できるという忠告である。

日本の政治家もマネしたくなる30代保守党トップのＳＮＳ術

ＳＮＳは確かに有権者に直接メッセージを伝え、彼らの要求に直ちに反応することができる。それゆえ、政治家と有権者とのＳＮＳによるコミュニケーションこそが、「直接民主主義」、「参加型民主主義」の理想であるという評価がなされることがある。ところが、ＳＮＳを利用した政治活動には、一部の熱烈な支持層の声ばかりが掬い上げられ、偏った潮流に流されてしまうという悪弊がつきまとうのも事実だ。

韓国ではこのような政治について、Ｋ－ＰＯＰの熱狂的なファン集団を指す「ファンダム」という言葉を借りて「ファンダム政治」と呼ぶことがある。

ＳＮＳの利点と弊害――。これを体現するような人物が、21年6月、国民の力の代表に選出された李俊錫だ。

85年、ソウルで生まれた李俊錫は、超難関高校として知られるソウル科学高校を卒業し、国費奨学生として米国に留学。ハーバード大学でコンピューター科学と経済学を複数専攻した。帰国後はITスタートアップ企業を立ち上げる傍ら、低所得層の青少年らに対し、教育機会を提供するボランティア活動を行ってきたところ、11年、朴槿恵に抜擢され、政界入りを果たすことになる。

以降、李俊錫は党の要職を歴任し、様々なテレビ番組に出演して知名度を上げたが、国政選挙では3度も落選。「0選の重鎮」という不名誉なニックネームを戴いた。

華やかな経歴に比べ、政治的能力を発揮する機会に恵まれなかった彼が大きな転換点を迎えたのは、21年4月のソウル市長補欠選挙においてだ。

保守系候補のニューメディア対策本部長を務めた彼は、文在寅政権の所得成長政策や不動産政策などからこぼれおちた20～30代の若者たちの存在に着目し、彼らを積極的に取り込む戦略をとった。通常ならば、党の重鎮議員や著名人が動員される応援演説に、一般の若者たちを投入し、若い有権者を演壇に立たせる「青年マイク」というコーナーを設けたのだ。

彼はこのコーナーで、文政権に向けた若者の怒りが吐き出されるよう巧みに誘導、その映像を党のYouTubeを通じて全国に中継し、大きな反響を呼んだ。

この戦略により、保守系候補は共に民主党の候補に比べ、20〜30代男性から2倍以上多くの票を得ることに成功する。特に20代男性では72・5％の得票率を達成し、保守系候補は見事、ソウル市長に当選したのだ。

ソウル市長選挙後、文在寅政権に向けられた若者たちの怒りは李俊錫自身への支持にもつながった。この実績に自信をもった彼は、満を持して21年6月に行われた国民の力党代表選挙に立候補する。彼は16万人（21年6月時点）ものフォロワーを誇る自身のFacebookを選挙戦の前線基地に定め、陣営事務所、広報メール、選挙カーがない、いわゆる「3無」選挙運動を前面に押し出した。

Facebook上で行われた後援金のカンパは、たった3日で限度額の１億５０００万ウォンに達し、選挙運動をＳＮＳ上だけで展開したことで、通常なら4億〜5億ウォン前後かかるといわれる費用をわずか３０００万ウォンに圧縮することにも成功した。

彼の戦略は既存の運動に拒否感を抱いていた若年層から絶大な支持を取り付けた。リーダーの意見に無条件に従うより、ネットのコミュニティなどで活発な議論を行い自らの投票先を決定する韓国の若者たちとの相性は抜群だった。36歳という若さで国民の力代表に李が就任できたのは一も二もＳＮＳの力が絶大だったのだ。

前述の通り、革新系に比べ高齢化が目立っていた保守系の支持者層だが、李俊錫の党代表就任により国民の力支持者の年齢は一気に若返ることになる。20代と30代の党員が2倍以上増えており、李は各種世論調査でも20〜30代の男性から圧倒的な支持を得ている。

20代の男性が多く利用する「FM Korea」というサイトは、たちまち「李俊錫の集まり」に姿を変えた。地盤も派閥もない30代の青年政治家の党代表就任は、世代交代のうねりを生み出し、彼は一気に「未来の大統領候補」として取り沙汰されるようになった。

しかし、代表になったその後の行動は、多くの有権者に失望を抱かせた。皮肉なことに、その失望の原因もＳＮＳだった。批判の声の中心は、彼のＳＮＳによる発信が党代表というポストにふさわしくないという意見だ。大統領選候補を選出する党内予備選挙の過程で、彼は有力候補たちへの批判ともとれる書き込みを次々と自身のFacebookに投稿し、そのうえあろうことか、李の姿勢を非難する有権者と不毛な論戦を繰り広げたりもした。

尹錫悦が最終候補として確定した後も、選挙対策本部の人事を巡る権力争いを、同じようにFacebookで絶えず伝え、国民から顰蹙を買った。もともと党内基盤が脆弱な李俊錫は党内で問題が発生するたびにFacebookを通じて問題を公にし、世論を誘導して問題を解決に導こうとする傾向が強い。国会議員の経験がない「0選の重鎮」だったがゆえ、ネットを自らの地盤とするしかなかったのだろう。

一連の行動は党員たちの怒りを呼び起こし、所属国会議員たちから代表辞任要求を突き付けられる事態にまで発展する。この騒動はのちに李俊錫が謝罪し、尹錫悦が彼を再び信任するというプロセスを経て一応は落ち着きを見せたのだが、彼が負ったダメージはあまりに大きかった。

李俊錫に政治家としての成し遂げたい政策が見えず、ひたすら若い男性ウケを狙う発言ばかりが目立つということも、ネット世論を基盤にしているがゆえの弱点であろう。表向き彼は「公正」を自分の政治信条としている。しかし、彼の「公正」は若い男性にとっての「公正」に過ぎず、女性や老年層など他の弱者に対する思いやりや配慮はほとんど感じられなかった。

それは、「現代社会で最も割を食っているのは若い男である」というアンチ・フェミニズムこそが韓国のネット空間を支配するイデオロギーだからである。

ネット空間で多数意見を占める「若い男性への逆差別」という〝不都合な真実〟をことさらに強調し、若い男性の支持を集めようとする彼への批判は大統領選を経てもなお強まっており、彼が国民から期待される真の政治家として成長するためには、ネット以外の世界の声にも耳を傾ける必要があるのは明白である。

ウィットに富んだ「AI尹錫悦」

ニューメディアの影響力が急激に拡大している韓国では、いわゆる「レガシー・メディア」と呼ばれる新聞や放送の持つ価値が低下している。

韓国文化体育観光部と韓国言論振興財団が実施した「2021年新聞・雑誌利用調査」によると、韓国人の紙新聞の閲読率（最近の1週間で紙新聞を読んだことがあると答えた人）は13・2％に過ぎない。10年の同調査では52・6％だったから、いかに韓国人が紙の新聞を読まなくなったかが分かる。

また、言論振興財団が行った別の調査によれば、韓国人の79・2％がネットでニュースを読んでおり、オンラインの動画配信サイトを通じてニュースを見る人も26・7％、

ＳＮＳを通じてニュースを読む人も17・２％に達していた。一方、こちらの調査でも新聞でニュースを読む人は８・９％しかおらず、新聞の権威の低下は顕著である。

98年、韓国で「Yahoo!コリア」のニュース速報サービスが開始されたのを皮切りに、00年５月にネイバー・ニュースサービス、03年にはメディア・ダウムとネイト・ニュースなど、ポータルサイトが次々とニュースサービスを開始した。

韓国人がニュースを受容するスタイルの変化は、選挙戦略を大きく変えた。与野党の候補がデジタル総力戦を繰り広げていくのに伴い、ニューメディアが選挙報道においてもレガシー・メディアにとって代わるようになっていったのだ。

先ほどＳＮＳに関する不手際について触れた国民の力の尹錫悦は、「ウィキ尹」というデジタル選挙のためのプラットフォームを作り、そこを選挙運動の本陣としていた。ユーザー自らが編集するウィキペディアのように、有権者自らにそれぞれ公約を提案してもらい、候補者と有権者が一体となって政策を作り上げるという仕組みだ。

このプラットフォームで俄然人気を集めていたのは、「ＡＩ尹錫悦」という仮想のアバターだ。ディープラーニング（深層学習）技術を使い、彼の顔と音声を合成した「ＡＩ尹錫悦」が有権者の質問に対し、15秒前後の回答をしてくれる。ときにウィットに富んだ回答は大きな人気を集めていた。

例えば、「文在寅大統領と李在明候補が同時に溺れたら、誰を救うのか」という質問に、AI尹錫悦は「遠くから応援する」と答える。「AI尹錫悦はなぜ、頭を振らないのか（頭を振るのは尹が話す時の癖）」に対しては、「残念だがプログラムの限界だ」。さらに、対抗馬の李在明による都市開発をめぐる汚職疑惑をモチーフにしたという韓国映画『アシュラ』の感想を問う質問には、「現実考証がとてもよくできた映画だ」という答えが返ってくる。謹厳な表情とは裏腹にウィット溢れる答えが、若者に大きな人気を集めていたのだ。

他方、「ショーツ映像」という59秒の映像メッセージも、22年の大統領選挙で新たに登場した戦略だ。1分未満のYouTubeの動画で尹錫悦の公約を要約して知らせるものだが、人気広告をパロディしたものなどもあり、注目を集めた。これらは主に「電気自動車充電料金の引き上げ凍結」「地下鉄定期券をバスでも利用できるように」など、生活密着型の公約を広める際に使われることが多かった。

さらに、Facebook上に何の前触れもなく1行だけの公約を発表するという方法も、世間の大きな関心を集めた。

「女性家族部の廃止」「兵士の月給２００万ウォン（通常は兵長クラスで67万ウォン）」など賛否が分かれ、論争になりそうな公約を何の説明もなしに投げかけ、有権者の関心を集中させる。それから後続のメッセージやインタビューなどで詳しい説明を加える。一種のショック療法を使い、公約への注目度を高めるという戦略だ。

尹錫悦のデジタル選挙の特徴は、「３Ｓ（スピード、ショート、スマイル）」で説明できる。誰よりも素早く主要イシューを先取りする（スピード）。メッセージの伝達はできるだけ短くしてインパクトを重視する（ショート）。そして、それらに面白さを加える（スマイル）。

その選挙戦略は、20～30代の若い世代間で大きな反響を得ているものの、政治家としてのビジョンはあまり見られず、刺激的で軽いメッセージだけでアピールしようとしているという非難も少なからずあった。特に共に民主党では、ディープ・フェイクの技術を利用したＡＩ尹錫悦に対して選挙法違反の疑惑が何度も提起された。実際、共に民主党の推薦で放送通信委員会の常任委員を務めたコ・サムソク教授は、「ＡＩ尹錫悦は、頭を左右に振ったり、大股開きをしたりといった候補者の良くない癖と、足りない話術を欺くためのイメージ・ロンダリングだ」と主張している。

候補者の長所ばかりを誇張し短所を隠そうとするアバターは、有権者を錯覚させるというわけだ。これに対し、中央選挙管理委員会は、「ディープ・フェイク映像を使用した選挙運動は選挙法違反ではない」という見解を示していた。

議員に義務づけられた書き込み

「3S」を戦略にした尹錫悦に対し、李在明のデジタル選挙戦略は物量攻勢といえた。李側は、動画配信サービス、SNS、スマホアプリ、チャットボット（対話ロボット）など、存在するほとんどのオンラインプラットフォームを選挙戦に総動員。Facebook上で運営する2つの公式アカウントをはじめ、TwitterやInstagram、NAVER（ネイバー）ブログ、Kakao（カカオ）ストーリー（KakaoTalkサイト上の個人ページ）、YouTubeなどを幅広く利用していた（ネイバー、カカオについては後述）。

李在明は候補に確定して以来、「在明の村」というデジタルプラットフォームを構築した。李を紹介する「在明の家」、写真や動画などのコンテンツを共有できる「写真館」、李の公約を紹介する「住民センター」と、李に質問したり意見したりできる「コーヒーショップ」、大統領選挙関連のフェイクニュースを通報できる「交番」などがその内容だ。

この在明の村では、「みんなの会話」キャンペーンも話題になった。訪問客が会話のテーマをアップすると、そのテーマに興味を持つ人同士がカカオトークのオープンチャットルームで議論を行う。その内容は李陣営で共有され、最終的に公約として反映されるのだ。関係者は、「このキャンペーンを通じて、１７００のチャットルームを開設することを目標にする」と中央日報に明らかにしているが、最終的に果たしてどれだけできたかについては発表されなかった。

加えて彼は、「李在明プラス」という購読型スマートアプリも展開した。これを利用すれば、公約を受け取ると同時に、個人的に公約を提案することもできる。李はこのアプリを通じて有権者からアイディアを募り、公約として発表し続けた。「ソファケン（ささやかだが確かな幸せ）」と名づけられたこの公約は、大統領選挙期間中に90件も発表されていた。李は、多様なツールを通じて集めた世論を、選挙戦に迅速に反映していったのだ。

この「ソファケン」の中には、国民から熱狂的な関心を集めたものもある。それが、脱毛治療に健康保険を適用するという公約だ。

これは、脱毛治療を受けている30代の青年が治療費の負担を減らしてほしいと陳情したことから作られたものだ。李陣営は、この公約を広めるために「李在明は植える」というショーツ映像を配信したが、これが思わぬ話題となったのだ。

脱毛に悩む人たちが利用する「脱毛ギャラリー」というネットコミュニティは、一時この公約で持ち切りとなり、「李在明を大統領府に植えつけよう」というネットミーム（ネットを通じてコピー・拡散される画像や文章などの情報）まで誕生した。1人の青年のアイディアから始まった公約が、1000万人にものぼると言われる脱毛治療患者やその家族に、李への支持を訴えかけることにつながったのだ。

一方、李在明への質問にAIが答えるチャットボットは彼のスキャンダル（後述）隠しに重宝された。例えば、尹錫悦ら保守陣営からたびたび追及された李在明の都市開発を巡る汚職疑惑については、「チャットボット」が「都市開発を阻止したのも国民の力、わいろを受け取ったのも国民の力」と答えてみせた。李在明が城南市長時代に最終責任者としてかかわっていた都市開発を巡る汚職疑惑について、AIに〝不正を働いたのはむしろ国民の力の関係者であり、自身に責任はない〟と主張させ、局面打開を図ろうとしたのだ。

李在明は若者に絶大な影響力を持つ複数のネットコミュニティを回りながら「苦言でもなんでも良いから意見を聞きたい」という書き込みを残し、ネットユーザーとの対話を試みた。この作戦は、与党寄りのコミュニティでは大きく歓迎されたが、保守性向の強いFM Koreaでは、「よくない」との意見が８０００件余も寄せられ、コミュニティの運営側によって李在明の書き込みが削除される屈辱も味わった。

共に民主党は大統領候補だけでなく、党に所属するすべての議員にＳＮＳ活動を義務づけている。選挙期間中は、党の国会議員と地方議会議員など約２０００人に連日、李在明の名前に言及する書き込みを４回以上掲載し、カカオトークで５人以上の党員に彼の公約を伝えることまで義務づけた。さらにそれぞれのＳＮＳ活動を集計し、誰が一番多く彼について言及したのかを毎月ランキング形式で発表するなど、それこそ一糸乱れぬ動きを見せた。

世界最高水準のスマホ普及率と5G通信網を誇る韓国は、今やモバイルが生活の中心に位置づけられ、それを主戦場にしたニューメディア産業が爆発的に成長している。22年の韓国の大統領選挙は、ニューメディアが政治のツールとして未来にどのような役割を果たすことができるのかを試す分岐点になったわけである。

重要な役割を果たした政治系YouTuber

従来、韓国の政治家が愛用してきたニューメディアとしては、KakaoTalk（カカオトーク）、Facebook、Twitter、Instagramが主流であった。これらを指して「カーフェット（KakaoTalk、Facebook、Twitter）」や「カフェイン（KakaoTalk、Facebook、Instagram）」という造語も生まれたほどだ。だが、22年の大統領選挙では、YouTubeの影響力ももちろん無視できないほど大きなものとなっていた。

イギリスのロイタージャーナリズム研究所が毎年約40カ国を対象に調査発表する「デジタルニュースレポート」によると、韓国の特性の中で最も際立っているのは「YouTubeを通じたニュース利用率」が毎年高くなっているという点だ。21年の報告書によると、韓国人のYouTubeを通じたニュース利用率は44％で、調査対象となった46カ国の平均29％より15ポイントも高い。他にも、年齢が高く保守性向が強いほどYouTubeニュースの利用率が高いという結果が出た。

これまでも韓国の各政党は広報にYouTubeを積極活用してきたが、大統領選では候補者個人のアカウントも積極的に利用された。

李在明は、城南市長時代の14年にYouTubeアカウントを開設。繰り返しになるが、彼個人のYouTubeアカウントは22年3月時点でチャンネル登録者数が約45万人に達し、動画再生回数は合計6500万回を超えた。

共に民主党の公式YouTube「デイリー民主」の登録者数が約12万人を少し超えるレベルにとどまっていたことに比べれば、韓国人がいかに候補者本人に関心をもっているかが分かるというものだろう。李在明は遊説の現場や移動中にも直接自分でカメラを持って自分の姿を生中継する、別名「ラバン（ライブ放送）」にも力を入れていた。

一方、尹錫悦は大統領選挙にあたり「ソクヨル兄貴テレビ」という個人のYouTubeチャンネルを開設した。チャンネル登録者は半年で30万人を超え、こちらも人気を集めていた。中でも、長年の自炊生活を通じて磨き上げた料理の実力を誇る尹錫悦が若い有権者を招待し、食事をごちそうするというバラエティーコンセプトの「ソクヨル兄貴の定食屋」というコーナーは人気を博していた。

ところで、大統領選で注目を集めるのは候補者のYouTubeチャンネルばかりではない。政治系YouTuberのチャンネルが持つ影響力も無視できないのだ。

テレビに劣らないパワーを誇る彼らが注目を集め始めたのは、保守層を母体とする朴槿恵の弾劾裁判が行われた時期に重なる。

16年末に「崔順実（チェ・スンシル）ゲート」を始めとする朴槿恵にまつわるスキャンダルが報道されると、革新系から保守系までさまざまな動画が配信され、議論の応酬が続いた。新聞やテレビが朴を執拗に非難したのに対し、保守系のYouTubeチャンネルは「不当な弾劾だ」と保守層の主張に同調する動画をいくつも配信した。

さらにテレビや新聞など既存のメディアには一切姿を現さなかった朴槿恵が、「韓国経済新聞」の論説委員だった鄭奎載（チョン・ギュジェ）が運営するチャンネルに出演し自らの心情を明らかにしたことで、保守支持層は既存のメディアに見切りをつけ、YouTubeに対する肯定的な印象を深めていった。

憲法裁判所の弾劾審判に対し朴槿恵の支持者たちが太極旗を持ってデモを行った際もほとんどのテレビや新聞がそっぽを向いたのに対し、YouTubeでは毎回集会が生中継され、参加者とともに「弾劾反対」を叫び続けた。

文在寅政権が誕生した後、喪失感から虚脱状態に陥っていた保守支持層を結集させるのに政治系YouTuberが一役も二役も買ったわけだ。

また、文政権の誕生で保守系の政治評論家は軒並みテレビ界をパージされることになった。彼らの多くがYouTubeチャンネルを開設したのも、政治系YouTuberブームを後押しした。元記者、政治評論家、政治家、弁護士など、朴槿恵時代にテレビを通じて大衆に親しまれた有名人が、自分の名前を冠したチャンネルを開設し、文政権下でテレビが政権寄りの偏向報道ばかりしていると考える人たちを新たな視聴者として引き入れたのだ。

政治系YouTuberが最大の注目を集めるのは、やはり選挙だ。20年４月の総選挙では与野党の代表や主要な候補者たちが、公式日程にテレビ出演だけでなく「YouTube出演」を記載し、党の行事にもYouTuberたちが「取材陣」として招かれた。すでにテレビに匹敵する影響力の大きいメディアに位置づけられるようになっていたのだ。

政治系YouTuberを支えるあなたの隣の人々

水原(スウォン)で夫人と一緒に生活する80歳のパク・チャンソンは元公務員で政治に対する関心が高い。17年の「朴槿恵弾劾」の時にはご飯がのどを通らないほどショックを受けたが、前出の鄭奎載が運営する「ペン・アンド・マイク」を見たのがきっかけで、週末ごとに街頭に出て弾劾無効集会に参加するようになった。コロナ禍によって野外集会が禁止された現在は、毎日政治系 YouTube を見ながら時間を過ごしている。

「テレビは文政権におべっかを使うため政権に不利なニュースは報道しない。YouTube だけが政権の顔色をうかがうことなく真実を報道している。テレビでは、李在明の息子の問題や不正問題は一切報道せず、尹錫悦と金建希（キム・ゴンヒ）夫人に対する攻撃ばかりをしていて、見る気がしない」

と話すパク・チャンソンは、YouTube をライブ放送で見ている。「スーパーチャット」に参加するためだ。スーパーチャットとは、視聴者が放送中に1000～50万ウォン（万）まで寄付できる投げ銭的なシステムで、このうち約6～7割が配信者の取り分となる。21年の1年間、韓国で最も多くのスーパーチャットを稼いだ「ベスト5」には、3つの政治系 YouTube が入っていたほどだ。

「YouTube を見ながらチャットで政治について話していると、国のために街頭に出た時と同じように心が興奮する。一人ではないと思えて、心強い気がします。国のために元々の仕事を辞め、一生懸命走り回ってスクープを報道する彼らを応援するのがお国のためだと思う」

パク・チャンソンはたまにライブ放送を見逃す日もあるが、そのような時は広告を飛ばさずに視聴すると決めている。広告を飛ばせば配信者に広告費が入らないからだ。

パク・チャンソンは1日に数回、自分が見た映像をカカオトークで友人に送り、友人と会えばニュースをテーマに議論する。いずれもYouTube経由のものだ。友人に文在寅政権の実態を知らせ、22年の大統領選挙で保守系候補が政権交代できるようにすることが自分の使命だと思ってやってきた。選挙前にこんな決意表明もしていた。

「大統領選で再び左派が政権を握れば、韓国はベネズエラのような国になる。国民が血と汗を流して建てたわが国が、左派のせいで滅びる姿を見ることはできない。後代のために私たちが最後まで戦うのだ」

ベネズエラは空前にして絶後と思われるレベルのハイパーインフレに直面している。それはともかく、進歩と保守、左派と右派というイデオロギー対立が強い韓国社会では、左であれ右であれ、イデオロギーに傾く人ほどテレビニュースの報道姿勢が偏っていると考えがちだ。

パク・チャンソンのような右派系はテレビニュースが政権に媚を売っていると思い、対極にいる左派系の視聴者もテレビが保守系によって掌握されていると考える、歪んだ現象が起きている。左派系の多くがそう捉えるのは、社会の既得権がいまだ保守層に偏っており、テレビも例外ではないと見ているからである。その結果、自分たちの性向に合うYouTubeチャンネルを積極的に探し回り、そこからニュースを受容するようになるのだ。

よく知られるようにYouTubeは、ユーザーが過去に一度でも視聴したコンテンツと似た趣向の動画を推薦するアルゴリズムを備えており、政治関心度の高い視聴者には、イデオロギーの近いチャンネルが絶えず推薦されることになる。登録者数と動画再生数が売り上げに直結する配信者としては、ますます刺激的で偏向的なニュースを配信するようになる。そして、それに接する視聴者たちは、より偏ったイデオロギーを抱くようになるのだ。

さらに深刻なのは、YouTubeにはテレビのように放送内容を審査する機関が存在しないことだろう。文在寅政権は〝言論改革〟という名目で、メディアによるフェイクニュースと名誉毀損に対する損害賠償を被害者が請求できるようにする法案の成立を推し進めようとしていたが、この法案にもYouTubeなどニューメディアは含まれていなかった。

泥沼のスキャンダル合戦

22年の大統領選の最大の特徴は、「政策論争はどこかへ消え、デマばかりが横行する」という点だった。国民の力の尹錫悦候補も共に民主党の李在明候補も、いずれも国政の経験がなく、国民の希望を満足させる政治的なビジョンや政策が不十分なのだ。そのうえ、選挙戦が過熱するにつれ、「親族のスキャンダル」など私生活の弱点ばかりがクローズアップされるようになり、気づけば〝どちらが大統領になることがより恥ずかしいか〟という視点で選挙戦が進んでいくことになった。

このスキャンダル合戦でもYouTubeは威力を発揮した。地上波やケーブルチャンネルでは法律にひっかかるような刺激的な映像までばらまくことができるからだ。〝タレコミ〟レベルで全く裏取りや検証がなされていないニュースが無差別に配信され、ネガティブ・キャンペーンがエスカレートしていった。

例えば、19年に開設され64万人の登録者を抱える「開かれた共感テレビ」というチャンネルは、左派寄りの代表的なチャンネルとして知られる。元京郷新聞記者を代表に据え、確実な証拠に基づいた調査報道専門メディアを打ち出していたが、実際は、尹錫悦関連のスキャンダルを掘り起こし、それを流通させることに総力を傾けてきた。

彼らは尹が検察総長を辞任して政界進出を宣言するやいなや、全く検証されていない「尹錫悦Xファイル」という文書を作成して拡散。大手メディアにスキャンダルに注目させることに成功した。さらに大統領選が始まってからは、彼の夫人である金建希に対する疑惑を集中して報道、李在明支持者たちから熱狂的な喝采を浴びた。

金建希夫人に対する疑惑は主に彼女の過去の経歴に関するものだ。「開かれた共感テレビ」によると、金建希夫人はもともと江南（カンナム）の高級クラブで「ジュリー」という名前で働いていたホステスで、尹錫悦の先輩検事と同棲中に尹に出会い、結婚したという。しかしこのチャンネルには、疑惑を裏付ける客観的な証拠は何一つ示されていない。信憑性に首を傾げざるを得ない、怪しげな証人たちが次々と登場するばかりだった。

彼らの取材手法は常軌を逸していた。例えば、金建希夫人と同棲していたと言われた検事の94歳の母親の自宅を予告なしに訪問。そのうえで、彼女から金建希夫人と自分の息子が同棲していたという証言を取り付ける。しかし、その後、その検事は自分の母親が認知症患者だという病院の診断書を公開し、「開かれた共感テレビ」が取材である旨を明らかにせず、自分の母親に対して意図的に証言を誘導したと批判した。

また、約20年前に金建希夫人に直接会ったという証人も印象的だ。YouTubeに登場した80歳の男性は、97年5月、江南の5つ星ホテルのVIPルームで「ホテルのオーナーから金建希を紹介され、接待を受けた」と主張し、当時の状況を詳しく証言した。しかし、その後、ホテル関係者から「証人が『VIPルームがあった』と主張した場所は、当時、空調室だった」と反論され、証言の信頼性が大きく揺らいだのである。

仮にテレビやラジオ、新聞がこのような取材を行って報道すれば、媒体の存続にもかかわりかねない。尹錫悦と国民の力は、このチャンネルを名誉毀損や虚偽の流布などの容疑で19回も当局に告訴したが、彼らは、いまだに金建希夫人に関する悪質なデマを広げている。しかも、尹錫悦政権になってから非難の度合いを強めながら、李在明を支持する視聴者から募金活動を行うなど、大統領選挙以前よりも高い収入を得ている。その募金を巡ってチャンネル関係者たちが分裂してしまい、「開かれた共感テレビ」の代表が追い出される事件もあったが、追い出された側の代表は「市民言論・開かれた共感テレビ」という新チャンネルを設け、ちゃっかりと金儲けに励んでいる。

イデオロギー対立が苛烈を極める韓国社会は、偏向した政治系YouTubeが勢いを増す最良の環境を提供しているのだ。

秘密録音による暴露合戦の主戦場

アナログ時代には口コミレベルで消えていった様々な〝噂〟が今は広く、速く、国民に伝わることになる。噂が噂にとどまっていればよいが、それを裏付ける動画や録音ファイルが簡単に公開されてしまうのも特徴であろう。当然、有権者にさらに大きな影響を与えることになる。

選挙期間中、義理の姉との電話音声を録音したMP3ファイルがネット上に広がった李在明は、大変な苦境に立たされた。彼は、市民運動をともにしてきた実兄と対立し、長い間、反目関係が続いてきたが、その頃、実兄の家族との電話で口にだせないような暴言をよく吐いていたのだ。度重なる李在明の暴言に耐えきれなかった義姉は、彼との通話を録音し、12年に音声ファイルを彼が市長を務めていた城南市のネットメディアに提供した。

この音声ファイルは、12年の公開直後こそ大した注目を集めることはなかったが、李在明が選挙に出馬するたびに、その音声がさまざまなYouTubeチャンネルで改めて取り上げられ、彼を苦しめることになった。22年の大統領選の際にも、党内予備選でライバル候補に近いYouTuberによって録音音声が公開され、大統領候補に確定した後も、多くの保守系YouTuberが音声を繰り返しアップすることになった。

彼はこの録音音声を「不法に録音されたファイル」と非難し、YouTube側に通報。ファイルが見つかり次第、削除するという対応が取られていたが、選挙期間中ついぞ音声のアップが止まることはなかった。

これに限らず、22年の大統領選挙ではとりわけ録音ファイルを使ったネガティブ・キャンペーンが流行りに流行った。

「ソウルの声」という左派寄りのYouTubeは、取材と称して何度も金建希夫人に電話をかけ、約6カ月にも及ぶ通話の音声記録を地上波テレビ局のＭＢＣで公開した。

所属する国民の力側は「本人の同意なしに録音した不正なファイル」だとし、放送禁止の仮処分申請をしたが、大統領候補の夫人は公人であるとし、国民の知る権利を理由に申請は却下された。その際、音声記録の一部はプライバシーにかかわるとして放送は禁止されたのだが、規制のないYouTubeチャンネルの「ソウルの声」と「開かれた共感テレビ」が、内容を全て公開。金建希夫人に対する攻勢を続けた。

一方、李在明の録音ファイル問題もとどまるところを知らず、金建希の録音ファイル公開直後に、李在明の義姉の弁護士が、新しい録音ファイル約40個をFacebookにアップロード。この録音ファイルには兄と義姉、そして甥にまで酷い暴言を浴びせかける李在明とその夫人の肉声が記録されていた。

国民の力、共に民主党はそれぞれ録音ファイルの公開をめぐって激しく対立し、多くの関係者が選挙法違反や名誉毀損の疑いなどで告訴・告発されることになった。

ただ、この騒動は両陣営の思惑通りに世論を動かすことにはつながらなかった。金建希夫人の場合は、かえって録音ファイルが「ホステス疑惑」を払拭するのに役立ったし、気さくでさっぱりした口調でイメージが改善される効果まで得た。

なにしろ録音ファイルの公開直後にはファンサイトが作られ、1週間で3万人以上の会員が加入したほどだ。李在明の方も同様で、録音内容がショッキングすぎるという理由からテレビで取り上げられることもなく、彼が何度も涙を流しながら謝罪したため、大きな悪影響はなかったと言われる。

国家情報院の世論操作事件

少し触れたように、特定の政治家のファンサイトに集う面々はネットを縦横無尽に遊泳し、支持する候補が当選するように組織的に働く秘密結社のようなものである。

支持する候補者の記事が出ればリンクが拡散され、会員たちには〝出動命令〟がくだる。支持者たちは、次々とリンクがついた記事にとび、コメント欄の書き込みを支持者で占領してしまうのだ。一方、ライバル候補者や党の記事のコメント欄については否定的な書き込みで埋め尽くそうとする。

韓国の選挙法は、一般国民が特定の候補者に有利になるようネットの記事にコメントを書くことを禁止していない。ところが、コメントを書き込むのにプログラミングを駆使したり、公務員を動員したりすれば厳しい法の審判を受けることになる。

李明博（イ・ミョンバク）政権時代に起きた国家情報院のネット世論操作事件や、文在寅前大統領の側近による世論操作事件は、政権の正統性を揺るがす大事件であった。改めて振り返っておきたい。ちなみに国家情報院はかつて韓国中央情報部（ＫＣＩＡ）や国家安全企画部と呼ばれた、大統領直属の情報機関であり秘密警察である。

12年12月、第18代大統領選挙を控えていた中で、国情院の職員が文在寅候補を誹謗し、朴槿恵候補を支持する趣旨の書き込みをサイトで行っているという情報が、文が所属する党側に届けられた。

情報によると、国情院の職員が11年11月から計70人あまりの民間人を雇用し、連日サイトにアクセスして政治的な懸案事項についてコメントを書き込むよう指示していたという。この情報提供を受けた党側は、記者をひき連れて国情院の職員が住んでいたマンションを真夜中に急襲。この事件は大々的にテレビで報じられ、翌日、党側は同職員を警察に告発した。

一連の疑惑は、選挙終盤の与党・朴候補に悪影響を及ぼしかねない出来事だった。このため、投票日2日前の12月16日夜、ソウル警察庁は「国情院が（主導して）大統領選関連のコメントをつけたという証拠は見つからなかった」という中間捜査結果を発表し、選挙への影響を最小限に収めようとした。

朴槿恵が大統領に当選してから、警察は最終捜査結果を発表し、「国情院職員のパソコンの内容を分析した結果、16のハンドルネームでニュースサイトにコメントをしていたことを確認した」と明らかにした。警察は、「計画的な選挙介入であり、正当な行為と見ることはできない」と、中間結果とは真逆の結論を下した。

その後、事件は送検され、検察は13年4月、当時、ソウル中央地検特捜1部長を務めていた尹錫悦を司令塔とする特別捜査チームが立ち上げられた。検察は国情院を家宅捜索するなど積極的な捜査を行い、国情院の職員がサイトだけでなくTwitterでも、野党や文在寅候補に対する誹謗中傷を数十万件にわたって書き込んだ証拠を見つけたのだった。

捜査が進むにつれ事件の規模は拡大し、さらに捜査の手は上層部に伸びていった。焦りを隠せない朴槿恵政権は、捜査を指揮していた尹錫悦を捜査ラインから排除するとともに、当時の検察総長の隠し子問題をメディアに暴露し、自ら辞表を提出するよう仕向けるなど、検察の捜査に圧力を加えていく。紆余曲折の末、13年11月には現職の国情院長をはじめ関係者が次々と起訴され、朴政権は「国情院が国内政治への介入を防ぐための独自の改革法」を作成するよう指示し、ようやく事は一段落したのだ。

17年の大統領選で文在寅政権が誕生して以来、「積弊清算（長い期間に積もった悪弊を清算すること）」を掲げた大統領は、国情院の世論操作事件の再調査を命じた。

新たに就任した国情院長は組織刷新のタスクフォースを設置して、保守政権時代の国情院が国内政治に介入した過去７つの事件の洗い直しを開始。国情院が09年５月から12年12月までの間に、民間人で構成された最大30のサイバーチームを運営し、年間30億ウォンもの予算を計上していた事実を確認してそれぞれのサイバーチームのリーダーを捜査するよう検察に依頼した。

検察側は、ソウル中央地検長になっていた尹錫悦が陣頭指揮を執り、国情院長経験者らが国庫損失罪や朴槿恵に国情院の特別活動費を上納した疑いなどでそれぞれ起訴された。さらに、捜査の過程では国防部傘下の機密司令部や警察庁まで世論操作に関与した事実が明らかになり、国家情報機関、防諜機関、捜査機関をすべて巻き込む史上最悪の政治介入事件として記憶されることになった。

世間を震撼させた「ドゥルキング」事件

国情院によるネット世論操作事件は、生まれたばかりの朴槿恵政権を根底から揺さぶることになった。警察の捜査、検察の捜査、そして国会による国政調査が厳しく行われたのだ。

発覚当初、野党代表だった文在寅は「大統領選が不公正だったというのは間違いない事実。そして朴大統領こそが不正の恩恵を受けた張本人だということも厳然たる事実だ」と、政権が正統性を失ったことを訴えた。民主党議員らは、国会の外にテントを張り、「朴槿恵は下野しろ」と叫び声をあげ、国会開会を拒否した。

しかしこの後、「国情院世論操作事件」の100倍と言っても過言ではない規模の世論操作が、文在寅の最側近によって行われたことが発覚する。いわゆる「ドゥルキング世論操作事件」だ。

17年の第19代大統領選挙を控え、「ドゥルキング」というハンドルネームを使うキム・ドンウォンとその一派が、文在寅候補と共に民主党に有利になるようにマクロ（自動入力反復）プログラムを利用してポータルサイトの世論を操作した事件である。詳細を紐解いてみよう。

18年に行われた平昌（ピョンチャン）冬季五輪の直前、女子アイスホッケーの南北統一チーム結成を強行した文在寅に対する非難の声がネット上に氾濫すると、政権の支持者たちはいつものように保守勢力がネット世論を操作していると主張した。

当時、政権支持者らは、「ネイバーのニュースサイトで恣意的な書き込みや『いいね』の数の操作が横行している。ネイバー側の協力があると疑われる」と、ネイバーに対する捜査の必要性を訴えた。当時の共に民主党の代表であった秋美愛（チュ・ミエ）（後に法相）も、「ネイバーの書き込みが人身攻撃や誹謗中傷で修羅場と化している。最後まで徹底的に追跡して告発すべきだ」とネイバーに圧力をかけた。結局、1月19日、ネイバー側は警察に書き込み操作疑惑の捜査を依頼し、警察の捜査が始まった。

しかし、警察の捜査が始まると、意外な事実が飛び出た。ネイバーのニュースサイトでネット世論操作を主導した人物は保守系支持者ではなく、共に民主党の党員であることが発覚したのだ。しかも、彼は17年の大統領選の際にも、文在寅候補に有利なようにマクロプログラムを使ってポータルサイトで世論操作を行っていたことが分かった。

具体的には、当時、文在寅をギリギリまで追い上げていた安哲秀（アン・チョルス）候補に対する大々的なアンチ運動を展開するなど、マクロを使って8800万件にものぼるコメント操作を行った疑いがかけられた。文のスポークスマンを務める金慶洙（キム・ギョンス）がドゥルキングと連絡を取り合っていたテレグラム（一定期間で消える機能もあるSNS）の会話内容も証拠として提出された。

選挙世論操作事件に文在寅の関係者が関与したという疑惑が出るや、野党は一転攻勢を強めた。野党の主張を受け特別検事による捜査が開始。特検チームは、金慶洙をドゥルキングのネット世論操作の共謀および選挙法違反容疑で在宅起訴するに至った。18年3月から拘束されたまま裁判を受けていたドゥルキングは、20年2月に最高裁で懲役3

年の実刑が確定し、21年3月に満期出所した。一方、金慶洙は、21年7月に最高裁で懲役2年の刑が確定し、現在収監中だ。

金慶洙が有罪判決を受け、苦境に追いやられたのは、他ならぬ大統領の文だった。朴槿恵政権時代に文がしたように、野党の有力政治家たちが文の謝罪を要求し、文政権の正統性に疑問符を突き付けたためだ。この事件の最大の被害者である安哲秀・国民の党代表は、「支持者らが文候補の当選のために犯した犯罪だ。（文大統領）本人が直接謝罪すべきではないか」と、声を上げた。だが、文大統領は最後まで一言も同問題について言及しなかった。

一方でネイバーは、ネット上での世論操作を防ぐため、いくつかの措置を講じた。まず、政治記事のコメントは「共感順」（「いいね」の多い順）ではなく、「時間順」にだけ表示がなされるようになった。一部の勢力によっていくらでもランキングを操作できる元凶だった「リアルタイム検索ワード」も廃止した。ニュース編集部はニュースの編集や配列に一切関与せず、アルゴリズムによってのみニュースが配列されるようにする方針も定めた。

大きな影響力を保持する「政治家のファンクラブ」

これまで述べてきた通り、韓国には「政治家のファンクラブ」が存在し、ネット世論を主導する大きな影響力を持っている。会員たちはネット上で組織的に動き、自分が支持する政治家に有利な世論を醸成しようと努力する。韓国初のファンクラブは「ノサモ（盧武鉉を愛する人たちの会＝前出）」だった。彼らが02年の大統領選で大活躍し、盧を大統領に就任させるのに一役買った経緯を紹介しておこう。

00年4月の総選挙で、当時の新千年民主党の盧武鉉候補は故郷の釜山江西（プサン・カンソ）地域で出馬し、落選する。彼は人権派弁護士出身で、ソウル鍾路（チョンノグ）区を選挙区として活動する国会議員だったが、当時の韓国の深刻な東西格差を解決するため、釜山に国替えして出馬したのだ。

しかし、いくら彼が釜山出身でも、釜山の有権者は全羅道（チョンラド）を地盤としている新千年民主党の候補を認めることはなかった。それほど東西の分断は深刻だったのだ。それをわかっていながら彼は3度釜山で国会議員に挑戦し、いずれも落選してしまう。それでも、革新勢の強いソウルだったら議員を続けられたにもかかわらず、わざと険しい道を選んだ彼の挑戦は韓国社会で大きな反響を呼ぶ。

韓国政治の慢性病といわれていた地域格差を克服しようとする彼の努力に、多くの若者が共感し、落選の翌日、ネットで結成されたのが他ならぬノサモだった。

ノサモは、現実空間とネット空間を縦横無尽に行き来し、盧武鉉の親衛部隊として名を馳せた。02年の大統領選において、彼の支持率が下がり、新千年民主党内で候補交代の動きが起こった時、ノサモは「黄色い豚キャンペーン」（豚貯金箱に政治後援金を集めるキャンペーン）を開始し、形勢を逆転させることに成功している。

ノサモはその後も、ときに過激に活動を続けた。05年には、ノサモ会員が盧武鉉政権に批判的な論調を展開する保守系新聞「朝鮮日報」の子会社に火をつけ、世論から非難を浴びたこともあった。

ノサモ以後、さまざまな政治家のファンクラブが活性化する。04年には、「パクサモ（朴槿恵を愛する人たちの会）」が作られた。彼らは、アンチ朴槿恵のデモがあれば欠かさず訪れ、〝向かい火デモ〟と呼ばれる対抗措置を講じることで有名だ。

17年の弾劾裁判時には弾劾反対集会を主導し、朴槿恵の投獄後も変わらず彼女を支持している。彼女がセヌリ党（現・国民の力）から除名されると、パクサモの会員が中心となって「ウリ共和党」を結成した。なんと将来、朴槿恵が恩赦により赦免されることを見越して、彼女が復権後に政治活動を行うための政党まで結成してみせたのだ。

実は、文在寅もファンダム（組織力の強いファンクラブ）が強い政治家として知られる。オンライン上には複数のファンクラブが存在するが、このうち最も旺盛に活動する組織が「月光騎士団（ダルビッキサダン）」だ。彼の姓の読みであるmoon＝月に着眼したネーミングで、ネット記事やサイトに書き込みを重ねることで世論を誘導する役割を果たすため、別名「コメント部隊」とも呼ばれる。

文在寅が子息の不正入学疑惑などで検察の捜査を受けている曺国（チョ・グク）を法務長官に任命したことで、文に対する激しい反対集会が始まると、検察庁の前で「曺国守護」「検察改革」の集会を開いて、政権を支えた。

彼らは、「政権の敵」と判断する人物には、個人的にメールや電話をかけて脅迫することもはばからない。

19年3月、文在寅が北朝鮮側に与しすぎだとして「北朝鮮の金正恩（キム・ジョンウン）委員長の首席報道官」などと皮肉まじりに国会で批判されたことがあった。この発言はブルームバーグ通信の韓国人女性記者が書いた記事内で使われた表現の援用だったのだが、「月光騎士団」たちは、当該記者の個人情報を晒し、メールや電話で脅迫。記者は精神的なショックで会社を休職する状況にまで至った。

　ほかにも、政権に不利な判決を下した判事や、政権に批判的な保守系マスコミの記者も、彼らの攻撃対象になった。度を越した彼らの行動はメディアや世論から非難を浴びているが、文在寅は彼らの行動を「政治の味を生かすタレ」と表現し、問題意識を全く見せなかった。

　李在明のファンクラブである「指革命軍（ソンガヒョク）」は、大統領選挙を経てさらに大規模になり、「革命の娘（ケタル）」「良心の息子（ヤンア）」と名前を変えた。活動性や攻撃性において月光騎士団を上回ると評価されている。

　最後に、尹錫悦が大統領選で勝利した決定的な要因をあげて、この章の締めくくりとしたい。それは、夫人をめぐる一連の疑惑や本人への関心の低さで支持率が低空飛行を続けていた1月7日、「女性家族部」の廃止を発表したことだ。これにより、フェミニズムに対して攻撃的な姿勢をみせる20代男性の〝女性優遇〟〝男性への逆差別〟という主張に火をつけ、彼らを味方につけることに成功したのだ。

　その後、彼らは尹のために、「FM Korea」（前出）などのサイトを舞台に組織的に運動を展開。李在明側の失策を次々と流布させたり、相手側が流すフェイクニュースを見つけ出したりしては素早く告発したり、関連記事のコメント欄を先に独占して、組織的に尹側に有利なコメントを書き込んだりした。

もちろん、この戦略は、若い女性を敵に回すという大きな副作用も伴った。選挙直後、共に民主党に12万人程度の新規党員が入党し、その大部分が20～30代の女性だったというニュースもあったほどだ。

韓国では進歩と保守、若い世代と老人世代、男と女など、各階層が激しく対立している。そんな社会であればあるほど、ネット世論は歪曲されやすく、政治家たちがそれを「現実世界の声」として鵜呑みにした瞬間、社会はさらに分断することになる。

10年ごとに進歩と保守が交代で政権運営をするという「政権交代10年周期説」のある韓国で、任期末まで40％を超える支持率を誇っていた文在寅政権は、5年ぶりに保守に政権を明け渡した。

熱烈なファンクラブがあるほど大衆的な人気の高かった文在寅は、任期中、自らの支援者たちとばかりコミュニケーションをとり、政権に批判的な意見を持つメディアや国民は徹底的に敵とみなした。結果、社会は克服できないほどの深い分断に陥った。新しく出発した尹錫悦政権は国民統合を訴えているが、果たしてどうだろうか。

第2章　ＩＴ大国の光と陰

バックボーンを作った朴正熙と金泳三

韓国で5期、16年にわたって国を率いた朴正熙（パク・チョンヒ）大統領は、驚異的な経済成長「漢江の奇跡」を成し遂げた人物として知られる。だが、韓国にＩＴの種をまいたという彼のもう一つの一面はあまり知られていない。

朝鮮戦争以後、政治的な混乱に乗じた軍事クーデターで１９６１年に政権を握った朴は、戦争で廃墟と化した祖国を復興するため国家主導型の経済成長政策を定めた。いわゆる「経済開発5カ年計画」だ。このとき朴政権は「技術振興5カ年計画」も同時に発表している。これこそが、韓国をＩＴ大国たらしめたものだ。

この「技術振興計画」の核心は、科学技術を担う人材をいかに確保するかという問題だった。そこで、朴政権は米国で活動していた韓国人科学者たちを韓国に呼び戻すための専門研究所の設立を計画する。

朴正熙は65年に訪米した際、韓国政府がベトナム戦争への派兵を決めたことと引き換えに、米国のジョンソン大統領から科学技術研究所設立のための資金や人材、ノウハウなどの提供を受けることに成功した。そして翌66年2月には、米韓両国政府の支援によって「韓国科学技術研究所（KIST）」が設立される。

さらに、60年代後半から70年代に至るまでに、「科学技術処」や「韓国科学技術院（KAIST）」など最先端の研究施設が次々と設けられた。

最初に設立されたKISTは、韓国の主力産業をどうするかという青写真を描くシンクタンクの役割も果たした。日本から資金援助、技術供与を受け、戦後の韓国経済復興の象徴ともいわれた「浦項製鉄（ポハン）（現・ポスコ）」の建設計画を作ったのも、世界最大級の造船会社となった「現代造船所（ヒョンデ）」の設立を主導したのも、科学技術者たちだった。さらに半導体ウェハー、光ファイバーなど工業製品の生産に必要な基礎技術の研究開発もKISTで行われた。

後に「韓国のネットの父」と呼ばれることになる全吉男（チョン・キルナム）博士も、朴正熙政権の科学技術政策の一環で韓国に招聘された人材の一人だった。日本の大阪で生まれた全は、大阪大学の電子工学科を卒業して米国に渡り、UCLA（カリフォルニア大学ロサンゼルスキャンパス）でシステム・エンジニアリングの博士号を取得。79年、36歳で電子技術研究所の責任研究員として韓国入りした。

韓国政府が彼に任せたプロジェクトは韓国産コンピューターの開発だったが、彼はコンピューターネットワークの構築も自らに課した。全は82年、慶尚北道亀尾市（キョンサンブックド・クミ）にある電子技術研究所とソウル大学を繋ぐ遠距離ネットワークの交信に成功。これで、韓国は世界でアメリカに次いで2番目にネットを構築した国家となった。さらに全は独自にルーター技術を構築し、これをアジア周辺国に伝えたことでネットの世界的拡散にも貢献したといわれる。

全のネットワーク構築プロジェクトは、84年から韓国通信（KT＝韓国最大の通信事業者）がその活動をバックアップするようになり、その10年後の94年6月20日には、KTによって「コーネット（KORNET）」という一般向けネットサービスの提供が開始された。韓国でも本格的なネットの時代が始まったのだ。

韓国のITの分野に種を蒔いたのが朴正熙政権だとすれば、その種を成長させ、収穫を行ったのは93年2月に発足した金泳三（キム・ヨンサム）政権といえる。金は「情報化は国家の競争力を高めるための最も重要で強力な手段」とし、「グローバル化」と「情報化」という二つの国家政策を掲げた。

金泳三政権で大統領府の政策企画首席秘書官などを歴任したイ・ガクポムＫＡＩＳＴ名誉教授は、このことについて「朝鮮biz」のインタビューで次のように回顧している。

「93年に誕生した米国のクリントン政権は『インフォメーションスーパーハイウェイ』の建設を提唱しました。これは、韓国の未来を考える人々にとって大きな刺激を与えることになりました。グローバル化、情報化に国家レベルで取り組まなければ、産業化に遅れ、かつて韓国が日本の植民地になったように、21世紀に再びどこかの国の植民地になりかねないという危機感が社会全般に広がったのです」（朝鮮biz２０１６年6月27日記事）

情報化に立ち遅れれば、韓国は再びどこかの植民地にされてしまう——。そんな強迫観念のもと、93年7月に金泳三は「新経済5カ年計画」を発表。国家の情報化やＩＴの育成をその核心に据えた。そこにはすでに、超高速ネットの早期構築、高校におけるコンピューター科目の必修化、電子政府の実現、ベンチャー企業への支援強化などが含まれていた。

94年12月の政府組織改編では、48年に作られた逓信部が「情報通信部」に拡大・改編。

金泳三は就任直後から積極的に省庁を削減、スリム化していたにもかかわらず情報通信部を拡大したのは、彼がＩＴを重視していたことの何よりの証左であろう。

95年には国策事業として「超高速ネット」の構築が開始され、ＫＴの主要電話局に光ケーブルを敷設。97年には全国80都市が超高速ネットで結ばれることになった。これで従来、電話モデムを使い、最大速度２４００bpsに過ぎなかった韓国の有線ネットが、メガ（Mbps）級となり、現在のギガネットへ発展する礎を築いたのだ。

超高速ネット時代へ～金大中、盧武鉉政権

97年12月に韓国を襲ったＩＭＦ（国際通貨基金）金融危機は、韓国社会を根本的に変えてしまった。財政破綻に直面した韓国政府は、ＩＭＦから１９５億ドルの金融救済を受ける代わりに、ＩＭＦが要求する経済体制下に入り、大々的な構造改革を開始した。

これにより金泳三政権で始まった超高速ネットの構築事業も危機を迎えることになった。底をついた国庫と厳しい国民生活の中で、当時は夢のまた夢だった超高速ネットへの予算投入は理解が得られず、需要があるかどうかも不確実だったためだ。

しかし、この通貨危機の最中に政権を引き継いだ金大中（キム・デジュン）は、危機克服の解決策とし

てＩＴ産業を選択した。98年2月、金大中は就任式の演説で「世界でコンピューターを最もよく使う国を作り、情報大国の土台を強固にする」とＩＴ強国への意志を明らかにしている。

金大中が在任初期に、日本ソフトバンク（当時）の孫正義会長と2度も面談したというエピソードは韓国では有名だ。98年6月の最初の面会時に、金大中が、韓国経済が息を吹き返す方法を尋ねたところ、孫会長は「第1にブロードバンド、第2にブロードバンド、第3にブロードバンド」と、「ブロードバンド」こそが韓国再生への近道であることを強調。翌年に行われた2回目の会談では「すべての学生が1人1台のパソコンを使ってネットに接続できる環境を整えることで最大の利益が生まれる」とし、全国民にパソコンを普及することも勧めた。

金大中は、未曾有の経済危機の状況の中でも5年間で20兆ウォンもの大金をＩＴ分野に投資したが、そのうちの実に10兆ウォンが超高速ネット通信網の設置に使われたという。

98年に1万4000人だった超高速ネットの加入者数は02年には1040万人に達した。情報産業分野の総生産額も98年の76兆ウォンから02年には189兆ウォンに増加し、国内総生産の14・9％を占めるにいたるなど、ＩＴ産業が韓国経済の再建に大きな役割を果たしたのだ。

金大中は情報化教育にも力を入れ、00年に世界で初めて全国の小中高校に超高速ネットを導入。翌01年からは、小学校１年生からのコンピューター教育を義務化した。

金大中に続いて03年２月に就任した盧武鉉（ノ・ムヒョン）大統領は、コンピュータープログラムを自分で作って同僚議員たちに販売するほど、コンピューターに詳しい知識を持つ人物として知られていた。盧武鉉は、国民所得２万ドルという目標達成に向けた新しいパラダイムの構築を宣言し、新成長戦略の実現のため、半導体事業でサムスン電子を世界的企業にまで押し上げた陳大済（チン・デジェ）前サムスン電子社長を情報通信部長官に任命する。

さらに、情報通信部の長官を副首相に格上げし、陳長官に大きな裁量を与えた。政府の全面的なバックアップを受けた陳長官のもと、韓国はさらにＩＴ社会への道を突き進む。盧武鉉大統領の在任中の06年、韓国のＩＴ産業の市場規模は２４８兆ウォンに達し、02年に５７１億ドルだったＩＴ産業の輸出額は、05年以降３年連続で１０００億ドルを突破、輸出額全体の35％を占めるなど、盧武鉉政権下でＩＴ産業は韓国の中核産業として位置づけられるまでになった。

さらに盧武鉉政権では「電子政府化」も推進。行政の大半で紙文書が廃止され、次々と電子文書にとってかわられた。盧政権下でソウル市は世界100大都市の電子政府評価で3回連続1位を記録し、李明博（イ・ミョンバク）政権初期の10年には、国連が実施した電子政府評価で韓国は1位を獲得することになる。

しかし、盧武鉉政権末期には急激なIT化による綻びも次々と露呈する。IT分野に対する過度な保護政策は省庁間の対立を生み、結局、金大中の肝煎りで設立され、韓国のIT化を牽引してきた情報通信部は、李明博政権の誕生とともに解体されてしまう。

08年2月に就任した李明博大統領は建設会社社長という経歴を持ち、世界を襲ったリーマン・ショックの大波を乗り越えるためには、ITよりも建設業界への大規模な投資しか道はないと、公共事業など建設業界への資金の集中を推し進めることになる。

迷走の時を迎えて

OECDが3年に1度発行する「OECDデジタル経済展望」によると、韓国は16年に続き19年にもブロードバンド普及率が世界1位となった。他にも韓国は、ネット通信速度やモバイルデータ使用量（月平均24GB）など、4つの部門で1位を獲得し、「ITインフラ強国」としての立場を強固なものにしている。

スマホ普及率も95％で世界1位（米Pew Research Center、19年調査）の韓国は、19年４月３日午後11時、米国より半日早く、世界初の５Ｇ商用サービスを開始している。５Ｇとは、ＶＲ（仮想現実）／ＡＲ（拡張現実）、自動運転、ＩｏＴ（物のインターネット）などに活用される「夢の通信」とも言われる高速通信だ。21年11月時点で韓国の５Ｇ加入者数は２０００万人を突破しており、21年夏の東京五輪で使用された５Ｇ関連の装備も、サムスン電子が日本のＫＤＤＩに納入したものである。

韓国の主力産業として定着したこれらの情報通信技術（ＩＣＴ）産業は、新型コロナ禍でも経済の大きな支えとなっている。産業通商資源部が発表した「２０２１年情報通信技術輸出動向」によると、20年のＩＣＴ関連の輸出額は前年比24％増の２２７６億２０００万ドル。21年、輸出総額は６４４５億４０００万ドルと史上最高額を記録したが、そのうち、半導体などのＩＣＴ産業が輸出全体に占める割合は35・３％に達する。新型コロナで世界経済が迷走している間、韓国は半導体を筆頭としたＩＣＴ産業群の輸出の好況に支えられ、21年には、４％の経済成長を記録することができた。

一方、韓国経済が半導体産業に過度に依存していることに対する懸念もある。19年７月、日本政府が半導体の核心品目の輸出管理を強化したことに対し、経済構造の急所を突かれた韓国政府が激昂したことがあった。韓国の半導体部品における自給率は20％で、大部分を日本などに依存しており、供給に異常が発生すれば、たちどころに経済全体に激震が走ることになるのだ。

加えて代表的な半導体企業であるサムスン電子に対しても、近年は危機が囁かれることが多い。インテルを抜いてグローバル市場でシェア1位の半導体企業に成長したサムスンだが、ファウンドリ（生産を請け負う企業）など、システム（非メモリー）半導体の分野ではグローバル1位の台湾企業「ＴＳＭＣ」に大きく水をあけられている。この分野でのサムスン電子の世界シェアは21年第3四半期で台湾ＴＳＭＣ（55％）の3分の1（17％）に過ぎず、世界的な需要が叫ばれる自動車用半導体市場におけるサムスン電子のシェアは1％にも満たない（グローバルマーケットリサーチ企業「トレンドフォース」調査）。

未来の半導体市場は、非メモリー半導体が主流になる可能性が高いと言われる中、非メモリー半導体分野でサムスン電子が思うような成長を遂げられない背景には、韓国の政治的な状況による影響も大きい。16年10月に朴槿恵（パク・クネ）の疑獄事件に巻き込まれたサムスン電子の実質トップ・李在鎔（イ・ジェヨン）副会長は、17年2月に拘束され、21年8月まで、実に4年

6カ月にもわたってこの問題に苦しめられることになった。

事件の概要はこうだ。16年、李副会長が朴槿恵の友人・崔順実(チェ・スンシル)の娘に馬術競技用の馬と訓練費用を提供し、スポーツ財団に後援金などを出したことが問題になった。捜査当局は、これを李副会長からの賄賂だと見なし、裁判所でも黙示的な請託があったという判断が下されて、1審で懲役5年の実刑判決が言い渡された。その後2審では執行猶予判決となって18年2月に釈放されたものの、21年1月、最終審で懲役2年6カ月の実刑が確定し、李副会長は再収監。21年8月に仮釈放されるまで、計4年6カ月間も裁判所や刑務所を行き来した。

サムスン電子が積極的に戦略的M&Aや大規模投資を行って半導体事業を拡大させせなければならない大事な時期に、実質トップだった李副会長の不在が続き、重要な決定が遅れてしまったというわけだ。

その後の文在寅政権も「IT大国を超え、AI大国に」というスローガンでIT振興政策を進めようとしてきたが、こちらも芳しい効果を発揮できないでいる。

日本の経団連にあたる「全国経済人連合会」は21年、新産業分野の国際競争力に関する研究報告書「韓米中日の現在及び5年後の競争力」を発表した。日本、韓国、中国、アメリカの電気自動車、産業用ロボットなど7つの新興産業分野を、企業経営のしやすさ、政府の支援、研究開発投資など6項目で予測した報告だったが、全ての項目で1位を獲得したのは米国で、韓国はすべての項目で3位と4位を占めるにとどまった。

現在の韓国のＩＴ産業は半導体を除いてグローバル市場で優位を占める分野がほとんどない。ベンチャー産業に対する韓国の国際競争力が低くなっているという指摘も絶えず出ている。00年代半ば以降、ＩＴ大国を自任してきた韓国は、迷走の時を迎えているのだ。

世界が注目したＫ防疫の実態

正体の分からない新型コロナウイルスを前に全世界が恐怖に震えていた時、韓国はＩＴを利用した積極的な防疫対策で世界から注目を浴びることとなる。

20年1月20日、中国武漢から入国した中国人女性が韓国初の感染者となってから約1カ月の間で、韓国では延べ30人の感染者が発生した。当時、日本はダイヤモンド・プリンセス号の大規模クラスターの影響で1000人以上の感染者が発生するなど危機的状況を迎えており、ひたひたと近づくコロナ禍の足音に、韓国政府も戦々恐々としていた。

　そのような中、2月18日に韓国でも大邱（テグ）の新天地（シンチョンジ）教会で大規模なクラスターが発生。新規感染者数が1日で数百人に達するもので、韓国でコロナの第1波が幕を開けた瞬間だった。

　経済における貿易の割合が高い韓国は全面的な国境封鎖ではなく、積極的な防疫で感染を減らす方法を選んだ。防疫当局は大規模検査を通じて感染者を迅速に分類し（test）、感染者の追跡により感染の輪を断ち切り（trace）、感染が確定した患者に迅速かつ適切な医療を提供（treatment）するという通称「３Ｔ」と呼ばれる戦略を打ち出した。

　この戦略には、ＩＣＴが大きく活用された。新型コロナ発生初期に診断キットを開発した韓国のバイオスタートアップ企業「シージーン（Seegene）」は、韓国の検査能力拡大に寄与した一番の功労者とされる。

　シージーンの研究チームは、ウイルスのサンプルが手に入らない中、ネット上に公開された遺伝子情報のみを頼りに人工知能を駆使して「診断キット」を開発。医薬品は、開発期間が10年を超えることも少なくなく、必要な予算も平均1兆ウォンに達すると言われる。ところが、シージーンは、通常2～3カ月かかるといわれる化学物質の分析をスーパーコンピューターによって2週間で終わらせ、韓国内で初の感染者が発見されてからわずか3週間で、診断キットを開発することに成功した。世界的に診断キットの不足が叫ばれる中、シージーンはEUなど30余カ国からその供給を要請され、米国FDAからも緊急使用承認を得るなど国際的な注目を集めた。

ICTは「test」だけでなく「trace」、つまり追跡調査においても重要な役割を果たした。防疫当局は、自宅隔離者の離脱・逃亡を防ぐため、「自宅隔離者安全保護アプリ」を開発した。自宅隔離者がこのアプリに症状を入力すれば、専従の職員がリアルタイムで対応に当たる。

また、感染者の足取りを追跡するため、携帯電話の位置情報やクレジットカードの利用明細を通じた広範囲な情報収集が行われ、1日に何度も全国民の携帯電話に新型コロナの感染者が訪れた場所を案内するメールが送られてきた。ショッピングモールなどの複合施設を利用する場合はQRコードで入場者をチェックし、新規の感染者が発生すると、同じ時間帯に同じ場所にいた人々を濃厚接触者に認定して外出を自制させ、速やかに検査を行うことで感染拡大防止に貢献した。

民間企業からも防疫のための様々なアプリが開発された。防疫当局が公開した感染者情報に基づいて感染者の足取りを追跡するコロナマップ、自分の位置から100メートル以内に感染者が訪問した場所があれば、警告音を鳴らして教えてくれるアプリ、現在地から100メートル以内に大規模クラスターを起こした新天地教会の関連施設があれば警告音が鳴る「新天地通知アプリ」など、ともすれば過剰反応とも思えるようなアプリも開発された。

GPSを利用してマスクを販売している商店のマスク在庫をリアルタイムで教えてくれる「マスクアプリ」も、マスク不足に直面した韓国で大いに話題になった。当時、マスクを探して一日中歩き回らねばならないほどだったからだ。

支援金の支給やワクチン接種も基本的にはITインフラを活用して行われた。20年3月、韓国政府は全国民を対象に、40万～100万(ウォン)の支援金を支給。これをオンラインで申請する場合、カード会社のサイトやアプリで簡単な個人情報や携帯番号を入力して本人確認をすませれば、支援金が振り込まれる。手続きは1分前後で終了し、申請後2日以内に支給が完了するというスピード決済を実現した。

またワクチンの接種予約でも疾病管理庁が運営するサイトで、近くの病院で希望する時間に接種を予約できるようにした。ワクチン不足の時期には、その在庫状況がリアルタイムでわかるマップも提供し、当日申し込み、当日接種まで可能となった。

もちろん、国民の移動の自由に対する過度な統制、プライバシー問題などこれらの防疫対策には問題も多く指摘された。さらに22年3月、過去最多の感染者数を記録するなど、その限界を露呈しているのは事実だが、韓国のコロナ対策はＩＴ抜きに語ることはできない。

コロナ禍で進む業界の地殻変動

2年以上世界を席巻しているコロナ禍は、我々の日常の少なからぬ部分を「非対面・非接触」に変えた。毎日会社に出勤していたサラリーマンは自宅でテレワークにより業務を行い、企業はＡＩ面接やテレビ面接を活用した非対面採用を行っている。

スーパーや百貨店で買い物をしていた人々はパソコンの前でマウスを握り、学校の授業もリモート、試験もオンラインだ。運動は屋外ではなく自宅の部屋で動画を見ながらトレーニングをするのが主流となり、映画も映画館ではなく、動画配信サービスを通じて公開される。コロナによって人々が家に閉じこもるようになり、ネットこそが最も重要なライフラインとなっているのだ。

ネットインフラが発達した韓国は、コロナがもたらしたこのような「非対面社会」への対応も早かった。

オンラインショッピングの利用率は急激に伸び、産業通商資源部の統計によると、21年11月に初めてオンライン市場の売り上げがオフライン市場を上回った。この時点で、韓国のオンライン流通会社の売り上げは７兆２０００億ウォンで、マーケット全体の51・4%を占めた。

業界の地殻変動も起きている。長らく流通業界のトップに君臨してきたロッテグループがオンラインサービス部門で後れを取って失速し、新世界グループが韓国流通業界の主導権を握りつつある。新世界グループは10年にはすでにオンラインショッピングプラットフォームの構築に着手しており、21年には本社ビルを売却して４兆ウォン以上の資金をＥコマース企業のＭ＆Ａに投下。オンラインとデジタルを中心に事業構造を全面的に改編している。その結果、21年に新世界グループは韓国のＥコマース市場でネイバーに次ぐ2位のシェアに浮上したのだ。

フィンテック（金融＋技術）ブームが起きている金融業界でも同様の動きが起きている。韓国は15年にネット銀行関連法が成立し、17年にＫバンクとカカオバンクが、21年にトス・バンクがそれぞれネットバンクサービスを開始。急成長を遂げている。21年末時点のネット銀行の顧客数は、カカオバンクが1799万人、Kバンクが717万人の計2516万人で、韓国の全人口の半分に当たる（トス・バンクは、21年の業績を明らかにしていない）。17年の誕生からわずか4年で353％増という急成長を遂げたことになる。

ネット銀行の最大手であるカカオバンクは、21年の上場と同時に、時価総額が金融関連銘柄の1位となった。21年の純利益は韓国最大の銀行である国民銀行の15分の1に過ぎないが、株式市場ではその将来性が高く評価されたということだろう。

ネット銀行の台頭は、一般銀行にも大きな影響を与える。21年には7大銀行と呼ばれる大手7行が、40代以上の行員を対象に4カ月間で5000人以上の希望退職者を募り、人員削減を行った。実店舗数を減らし、デジタル化に対応するために行われたことである。

新型コロナを契機に韓国では全産業分野でデジタル化が加速している。時代の流れに乗り切れない企業は、消費者にそっぽを向かれ没落していくのだ。

IT企業の雄

第1章で紹介したネイバー（NAVER）とカカオ（Kakao）は、韓国を代表するIT企業だ。

ＬＩＮＥなどのサービスにより日本でも知られるネイバーは、サムスンＳＤＳ（ＩＴサービス企業）の社内ベンチャーである検索エンジン「ウェブグライダー」から始まった。サムスンＳＤＳは、社員の自主的なプログラム開発を支援する事業を行っていたが、のちにネイバーの創業者となる李海珍（イ・ヘジン）は、ウェブグライダーを開発して、社内ベンチャーとして起業したのだ。99年6月にサムスンＳＤＳから独立し、資本金5億ウォンでネイバーを設立。NAVERという名前は、「航海する」という意味の「navigate」と、人を指す「er」を組み合わせて作った造語で、「情報の海」というネット世界を航海するすべての人々に多様な情報を提供するという意味を込めたとされる。

ネイバーは当初、ダウム（Daum）やYahoo!コリアなど10以上の検索エンジンと競合しており、マーケットシェアも5番手に過ぎなかった。だが、ネイバーは00年にオンライン・ゲームサイト「ハンゲーム」を買収し、02年にはユーザー間の情報交流サービスを開始したことで、検索エンジン市場でシェアトップに浮上した。

ユーザーの質問に別のユーザーが回答する日本の「Yahoo!知恵袋」に似たこの情報交流サービスは、韓国でも大きな人気を博した。03年には１４００万人のユーザーがこの情報交流サービスを利用するなど、ネイバーの代表的なサービスとして知られるようになった。ネイバーは、03年にはブログやネット同好会のサービスを開始して、05年以降、同社の検索シェアは70％に達し、韓国では圧倒的な存在感を示している。

現在、ネイバーは45の系列会社を抱え、本業の検索エンジン事業のほか、4分野の新事業も推進。Ｅコマース事業、フィンテック事業、ウェブトゥーン（韓国発のデジタルコミック、ウェブコミック＝第3章）やウェブ小説、ウェブドラマといったコンテンツ事業、そしてクラウド事業だ。Ｅコマース分野では、米市場に上場を果たした韓国企業のクーパン（後述）を抜き、マーケットシェアでトップを保っている。また、韓流コンテンツの流行を追い風にしたネイバーウェブトゥーンは、世界１００カ国以上で多様なコンテンツを提供している。日本でも提供されているＬＩＮＥマンガなどは、このウェブトゥーン事業の一つである。

また、最近のネイバーはアバターを使ってネット上の仮想空間で交流するメタバースにも力を入れている。18年にサービスを開始したメタバースプラットフォームの「ゼペット（ZEPETO）」は、現在は全世界で3億人の加入者を擁し、アジア1位のメタバースサービスとして成長した。ゼペットは海外の加入者が90％を超えているが、これは、

「Ｋ－ＰＯＰアイドル」とのコラボレーションが大きな人気を集めているためだ。20年9月にＫ－ＰＯＰアイドル「BLACKPINK」（第3章）のアバターがゼペット上に登場し、そこで行われたサイン会にはなんと、４６００万人ものファンが集まった。

新型コロナによる非対面社会の発展はネイバーにさらに大きな商機をもたらし、21年、ネイバーは６兆８１７６億ウォンという史上最高の売り上げを記録した。22年5月時点で、韓国の株式市場で時価総額ＴＯＰ10に入るマンモス企業に成長し、名実ともに韓国最大のＩＴ企業となった。

検索エンジンが出発点となったネイバーと異なり、カカオはＳＮＳプラットフォームをその源流としている。カカオの創業者である金範洙（キム・ボムス）もサムスンＳＤＳの出身であり、ネイバーの李海珍とは92年の入社同期にあたる。金範洙は、サムスンＳＤＳ時代から韓国最大規模のネットカフェ（日本のネットカフェと異なり、主にコンピューターゲームのユーザーたちが利用する）を運営するなど、コンピューターゲームに対する関心が強かった。

彼はサムスンＳＤＳを98年に退社し、ゲームベンチャーの「ハンゲーム」を創業。00年、ハンゲームをネイバーに売却した後、同社の共同代表などを経て07年に米国で新たなオンラインサービスの開発に専念する。当時、ウェブ上のサービスに限界を感じていた彼の目に飛び込んできたのは、スマホやモバイル向けのサービスだった。アメリカでモバイル向けサービスの開発にのめり込んだ金範洙は、10年、「カカオ」というブランド名を冠したサービスを相次いで発表し、このうちモバイル用メッセンジャーサービスの「カカオトーク」が大ヒットする。

当時、韓国では「ワッツアップ（WhatsApp）」という米国発のモバイルSNSがあったが、そちらが有料サービスだったこともあり、無料のカカオトークに加入者が殺到した。収益モデルを構築しないまま無料サービスを続けていたカカオは、しばらく赤字を計上し続けることになったが、12年に人気モバイルゲームとのタイアップを成功させ、中国のテンセントなどから計920億ウォンの投資を受けて、これが起死回生の一手となる。以後、カカオフレンズ、カカオゲームなど有料サービスも相次いでヒットし、14年には韓国初のポータルサイトであるダウムと合併して、総合プラットフォームとして生まれ変わった。

現在カカオは、プラットフォームとコンテンツという2本柱を事業の中核にすえ、韓国で4300万人以上が加入しているSNSのカカオトークをはじめ、タクシー配車アプリやモビリティサービス、ネット銀行などのEコマースサービスからウェブトゥーンや音楽ストリーミングサービスまで幅広い事業を行っている。日本でもよく知られるウェブトゥーンの「ピッコマ」もカカオが提供するサービスである。

カカオの21年の売上高は6兆1361億ウォンで対前年比47・6％増の成長を遂げた。株式時価総額はネイバーの後塵を拝しているものの、カカオグループ内にはすでに上場しているか上場を控える企業が複数あり、カカオこそが韓国最大のＩＴプラットフォーム企業だと指摘する声も少なくない。

カカオは現在174の系列会社（うち海外法人が42社）を保有し、サムスン（59社）を抜いて系列会社を最も多く保有している企業となった。美容室予約や英語教育、スクリーンゴルフ、訪問修理など、手をつけていない業種がないほどで、「韓国はもはやカカオ共和国だ」という皮肉も聞かれる。中小零細企業が多くいる業界にも躊躇なく参入し、零細事業者から巨額の手数料を取っているという批判もあり、カカオの成長に歯止めをかけるべきだという声も高まっている。

楽天を抜き去った「韓国版アマゾン」

日本ではすでに社会インフラとして定着している「アマゾン」だが、実は韓国には未だ上陸しておらず、韓国では「アマゾン」のサービスを受けることはできない。韓国でネット通販業者として知られるのは、「韓国版アマゾン」とも呼ばれる「クーパン」で、10年に米ハーバード大学経営大学院に在学中だったキム・ボムソクによって創業された。

会員に割引クーポンを提供するサービスで知られた「クーパン」は、13年にEコマース事業に進出。翌14年に、翌日配送をうたった「ロケット配送」のサービスをリリースし、一躍名が知れ渡ることになった。以後、米国シリコンバレーの投資家から5億ドル、ソフトバンク会長の孫正義が率いるファンドから計30億ドルの投資を受け、韓国のユニコーン企業（企業価値1兆ウォン以上の非上場企業）第1号に成長した。

その躍進はすさまじく、19年5月にはフードデリバリー事業をスタートして、一気に業界3位に浮上。20年7月にはシンガポールのOTT（コンテンツ配信サービス）事業「フック（Hooq）」を買収し、同社を通じて「クーパンプレイ」を配信するなど、規模を拡大し続けている。

米ダラウェイに本社を置くクーパンは早くから米ナスダックへの上場を目指してきたが、その道のりは容易ではなかった。しかし、20年からの新型コロナ禍は、クーパンにも大きなチャンスをもたらした。ソーシャル・ディスタンス社会の到来により、20年の売上高は対前年比90％増という驚異的な数字で、21年3月11日にはかつての目標だったナスダック上場をすっ飛ばし、米ニューヨーク証券取引所への上場を成し遂げてしまった。

韓国内でも上場していない韓国の企業が同証券取引所に上場したのは初めてのことで、上場当時の企業価値も630億ドルと、韓国国内の全ての流通企業の企業価値を合算した額の3倍を超える金額となった。

クーパンは21年時点で6万5138人の従業員を雇用しており、雇用創出の面でも韓国の3大スーパーチェーンの合計を上回る。さらに21年の売上高は22兆ウォンと対前年比50％増を記録し、ついに楽天の売上高も抜き去ってしまった。

クーパンが最大の売りにしているのが「ロケット配送」サービスに代表される超高速配送システムだ。深夜0時までの注文であれば翌朝7時までに、午前9時までの注文であれば当日中に配送されるこのサービスを実現するため、クーパンは、韓国の30あまりの都市に170の物流センターを配置し、7000人以上の専属配達員（通称「クーパンフレンド」）を雇用している。さらに、全国に張り巡らせた流通ネットワークによって、届いた商品に不満がある場合は、再包装の必要もなくドアの前に置いておけばクーパンフレンドが回収してくれる返品サービスも人気の秘訣となっていた。

ただ、これらのサービスを実現するためにクーパンが支払った代償は大きい。「計画された赤字」を掲げるクーパンは、巨額の赤字を計上しながら、それを上回る投資を募って成長を続けてきたが、10年の創業以来、一度も黒字を計上できておらず、韓国の金融監督院から経営改善勧告を受けたこともあるほど。21年までの累積赤字は5兆ウォンを記録し、費用対効果が悪いせいか返品サービスの終了も発表。現在は赤字縮小が緊急の課題となっている。

また、超高速配達の実現のため、配達員が劣悪な労働環境にさらされているという問題も指摘されてきた。20年4月、40代のクーパンフレンドが死亡して以来、1年間におよそ7人の配達専門職員が過労死。徹夜労働や正社員採用のための配達員同士の過当競争も当たり前で、全体の退社率が75%、入社1年未満の退社率は96%に達するという内部告発が報じられたこともあった。

ユニコーン企業たち

韓国の第1号ユニコーン企業だったクーパンの成功後、他のユニコーン企業もクーパンを見習い、「二匹目のドジョウを狙え」とばかりに上場準備に余念がない。ネット銀行の「トス・バンク」や宿泊アプリの「ヤノルジャ」は、米国への上場を推進しているし、生鮮食品専門のEコマースを行う「カーリー」は、世界最大の資産運用会社の一つであるミレニアム・マネジメントなどから投資を誘致し、企業価値を4兆(ウォン)に引き上げて韓国内での上場を準備している。

　他にも、ユニクロ不買運動の恩恵を受けた韓国最大のオンライン・ファッションプラットフォーム「ムシンサ」、韓国最大の中古取引プラットフォームの「人参(タングン)マーケット」（第5章）なども上場を準備している企業の一つだ。

　スマホ上でフリマアプリのサービスを提供する人参マーケットは、22年時点で会員数は2200万人に上り、ショッピングアプリ全体ではクーパンに次ぐ2位のシェアを誇るなど人気を集めている。

　人参マーケットは15年7月、ITベンチャーが集まっている京畿道(キョンギド)・板橋(パンギョ)でスタートした。社名の語源は、韓国語で「タングン（あなたの近く）」のマーケットを略した言葉で、ユーザーの半径4キロ以内（現在は6キロ）の狭い地域を設定し、その中でのみ取引できるようにしたのが利用者に受け、大当たり。18年1月からは全国サービスを開始した。

従来のフリマアプリはカネを振り込んでも連絡が途絶えてしまうなど詐欺に遭うことも多かったが、半径４キロ以内に住む住人同士が直接取引をすれば、そのような心配は格段に低下する。さらに電話番号だけで加入できる会員登録の簡素化も成功ポイントだった。老年層などデジタル化から疎外された層の市民も簡単に利用できるようにハードルを下げたのである。

人参マーケットは単なるフリマアプリでは終わらず、地域ごとのソーシャルメディアとしての役割も果たすようになった。例えば、アプリ上に設けられた「町の生活」のタブには、その地域で起こった事件・事故から落とし物や趣味の話まで様々な書き込みがなされ、これを通じて同じ地域に住む人々が情報を交換することもできるのだ。さらにＧＰＳ機能を使って利用者の現在地を特定し、近くにあるスーパーやカフェ、さらには学習塾などの情報も教えてくれるし、アルバイトなどの求人情報も交換することができる。

ご多分に漏れず海外進出に熱心に取り組んでおり、現在、イギリス、日本、カナダ、アメリカの４カ国72地域を対象にグローバルバージョンのサービスを行っている。21年まで累積２２７０億ウォンに上る投資を誘致し、企業価値は３兆ウォンにまで上昇し、韓国の代表的なユニコーン企業としての地位を確立した。

生鮮食品を専門に扱うネットショッピングモールの「マーケットカーリー」は、韓国のEコマース界に「早朝配送」ブームを巻き起こした。創業者のキム・スラは韓国最高の難関高校である民族史観高校を卒業し、ヒラリー・クリントンの母校で知られる米ウェルズリー女子大学で政治学を専攻した。

大学を卒業し、ゴールドマン・サックス、マッキンゼー・アンド・カンパニー、ベイン・アンド・カンパニーなど、有名コンサルティング会社をハシゴするバリバリのキャリアウーマンだったが、忙しさのあまり、「良い食事」をすることが難しかったという。この経験が原動力となり、15年に起業。深夜11時までに生鮮食品を注文しておけば翌日未明までに配送される「新星（セッピョル）サービス」を開始して会社は急成長し、21年にユニコーン企業に選ばれた。

同社の急成長の背景は徹底した品質管理にあった。キュレーターが直接厳選した商品だけを販売し、ＰＢブランドも強化するなど、他のオンラインモールとの差別化も徹底した。また、ビニールや発泡スチロールの包装材を使わず、１００％リサイクルできる紙の包装材を導入するなど、環境への配慮をアピールすることも忘れない。

これにより「プレミアム」「高級」といったブランドイメージを付与することに成功し、20〜40代の主婦層から絶大な支持を受けているのだ。20年と21年には米「フィナンシャル・タイムズ」が発表する「アジア太平洋地域の急成長企業」に、韓国企業としては唯一２年連続で20位以内に選定された。創業以来の累積投資額は計９０００億ウォン余で現在の企業価値は４兆ウォンと言われ、22年中の上場が有力視されている。

　韓国の中小ベンチャー企業部が21年末を基準に選定した韓国内のユニコーン企業は合計18社で、歴代最多を記録した。文在寅政権発足当時の17年は3社に過ぎなかったものが、5年で6倍に増えた背景には、政権の大規模なベンチャー投資がある。文政権は、17年の２兆４０００億ウォンの投入を皮切りに5年間で計22兆ウォンを投入し、金大中政権に次ぐ「第２のベンチャーブーム」を巻き起こした。

　ただ、ユニコーン企業に浮上した会社はどれも内需型の企業ばかり。グローバル企業として飛躍できるかは未知数だ。第４次産業革命の核心技術となるＡＩ、ビッグデータ、ロボットなど、革新技術分野ではまだ目に見える成果を得られずにいるとも言えよう。

大企業30社のうち63%

ネカラクペタント――。まるでおまじないのようなこの言葉が、現在、韓国の若者の間で流行っている。ネカラクペタントが意味するところはずばり、就職活動をする韓国の若者に最も人気がある7つの会社のことで、「ネイバー」「カカオ」「LINE」「クーパン」「配達の民族（ペダルミンジョク）」（フードデリバリー・プラットフォーム）「人参（タングン）マーケット」「トス・バンク」（ネット銀行）という韓国を代表するIT企業ばかりだ。

ネカラクペタントの7社は、その名声にふさわしく報酬も大手企業を上回る水準となっている。4大卒のプログラマーの初年度の年俸を比較した場合、人参マーケットが業界最高の6500万ウォン、クーパンと配達の民族が6000万ウォンから、残りの会社も軒並み5000万ウォン以上である。韓国最大手のサムスン電子の4大卒が4500万ウォン程度、ナンバー2のSKハイニックスが5000万ウォン程度といわれるから、IT企業の給料が高いのは間違いない。

「ワーラベル」（ワーキングとライフのバランス）を重視する韓国の若者にとって、IT7社の自由な職場の雰囲気や充実した福利厚生も大きな魅力とされている。これらの会社では、通勤時間を柔軟に調整することができ、休暇を取得するときに上司の機嫌を窺ったりする必要もない。

「配達の民族」は17年から週35時間制を導入し、22年からは週32時間勤務も実施している。週5日制は維持するものの、1日の勤務時間を短縮する形だ。人参マーケットでは、休暇日数に制限がない「自主休暇」制度を導入し、休暇を取る際は「本人専決」で誰かに承認を受けたり報告したりする必要もない。トス・バンクは「無制限休暇制」の他に、クリスマスの前後に10日間、必要最低限の人材を除いて全社員が休みに入る「冬休み制」を導入している。

社内の自由な雰囲気から、会社の方針に対して新入社員も自由に意見することができるし、年功序列ではなく能力評価が導入されているという点も若者たちに人気だ。クーパンは15年から全社員の職級を廃止し、互いの呼称は英語のニックネームで呼び合うことにした。職級をなくした代わりに、各社員の能力に応じて12段階のレベルに分けて成果給を支給している。ただ、お互いがどのようなレベルなのかは分からない。クーパンのこの「レベル制」は能力主義と平等的な企業文化を同時に追求できるという長所から、ネイバーやカカオのほか、一般の大企業でも導入されるようになった。サムスン電子も、16年に職級を廃止して、キャリアによって4段階にキャリアレベルを分けるシステムを導入している。

少なくともＩＴ企業の急激な成長ぶりや若いＣＥＯの経営哲学は、現代韓国の若者にとって大きな憧れになっている。カカオの創業者である金範洙（キム・ボムス）は、彼らが最も尊敬する経営者の一人だ。21年、ある調査では、サムスン電子の李在鎔（イ・ジェヨン）副社長や新世界グループの鄭溶鎮（チョン・ヨンジン）副会長を抜き、就職活動生が最も好きなＣＥＯに選ばれた。彼は「１００人のＣＥＯを育成して、自分はメンター（指導者）としての役割に徹したい」という経営哲学を明らかにしたが、就職を通じた自己啓発や成長を重んじる若者たちから大きな共感を得ているのだ。

最も優秀な人材がどこに集まるかは、その国で最も「ホット」な産業が何かを見分ける尺度ともなる。これまで韓国の若者の間で最高の職場とされてきた「サム・ヒョン・エル」（サムスン電子、現代自動車、ＬＧ電子）などの大企業が、その座をＩＴ企業にとってかわられたという現実は、社会の〝今〟を如実に表している。

韓国証券取引所は21年１月、日米独中韓の５カ国それぞれにおける「30大企業」の業種を分析する資料を発表した。これによると、20年末時点で、韓国の大企業30社のうち、ＩＴ業種が占める割合は実に63・３％で、米国（35・３％）、ドイツ（12・９％）、日本（10・３％）、中国（６・８％）を大きく上回った。時価総額のトップ10には、サムスン電子（半導体）をはじめ、SKハイニックス（半導体）、ネイバー、カカオ、サムスンSDI（電気バッテリー及びIT素材事業）など5社のIT関連銘柄が名を連ねており、韓国経済を支える企業群が化学、自動車、エネルギー産業からITへ移っていることが端的に表れている。

第3章　世界に飛翔した韓流コンテンツ

源流はIMF金融危機

『冬のソナタ』（2002年）の大ヒットから20年。日本や中国など東アジアを中心としたローカルな人気に過ぎなかった韓流ドラマは、今や韓国の主要な〝輸出商品〟に成長した。南北分断という朝鮮半島の悲劇を男女の愛を阻む障害としてロマンティックに描いた『愛の不時着』（19年）、幼い頃に親しんだ懐かしい遊びが残酷な殺人ゲームになる『イカゲーム』（21年）など世界的にヒットして話題になった作品も少なくない。

K-POPをはじめとする韓流音楽も欧米のファンを熱狂させている。少女時代やKARA、ビッグバン（BIGBANG）に東方神起など、日本でもよく知られたアイドルである。その代表格ともいえる人気グループのBTSは、20年に初めて「ビルボードHOT100」チャートで1位を記録して以来、新曲を発表するたびにランクインするようになった。さらに、BTSの所属事務所であるハイブ（HYBE）は、ジャスティン・ビーバーやアリアナ・グランデの所属会社として知られる「イサカ・ホールディングス」を買収し、今やれっきとしたグローバル企業である。

これらの「韓流」コンテンツの源流をたどると、今から20年以上前のＩＭＦ金融危機に行き当たる。当時、破綻寸前まで追い込まれた韓国では国内の文化産業の消費が大きく落ち込み、音楽界をはじめとする大衆芸能の担い手たちは海外マーケットに活路を見出そうとした。

金融危機の際に政権を握った金大中（キム・デジュン）はＩＴとともに文化産業を韓国の未来成長エンジンに指定し、文化観光部（現・文化体育観光部）に初めて１兆ウォンを超える予算を割り当てる。さらに日本文化の流入解禁を行い、韓国の文化コンテンツが競争力を持ち、成長できる基盤を作ったといえる。

90年代は、韓国社会が軍事独裁から脱し、民主化を成し遂げた時期でもある。87年に大統領直選制を骨子とする改憲が行われ、93年に初の民主政権が誕生。権威主義的な時代から自由と参加の時代へ移りかわった。韓流が特に「抑圧からの脱却」や「自由への意志」、「社会矛盾」など〝自由〟を強調したメッセージを掲げることが多いのは、こうした時代の変遷を反映したものといえる。

韓国芸能界や金大中の思惑は功を奏し、90年代後半には、東アジアで最初の韓流ブームの兆しが見え始める。日本でも『冬のソナタ』を皮切りに人気が爆発。ほぼ同じ時期に中国などでは時代劇『宮廷女官チャングムの誓い』が社会現象にもなった。10年代半ばに入ると日中の韓流市場が成熟し、それまでアジア商圏を中心としてきた韓流も頭打ちになったかと思われた。

折しも、日本では嫌韓の風が吹き、中国ではＴＨＡＡＤ（米軍が開発した高高度防衛ミサイル・システム）の朝鮮半島配備による中韓関係悪化が深刻化。韓国では、韓流の時代はまもなく終わるという悲観的な見方が大勢をしめた。

しかし、大方の予想に反し、韓流は活動舞台をアジアから世界へと移し、従来よりもはるかに大きなスケールでブームを拡大させていった。

22年１月に文化体育観光部が発表した「２０２０年現在のコンテンツ産業調査」によると、20年におけるコンテンツ産業の輸出額は１１９億２４２８万ドルで前年比16・３％の増加だった。新型コロナによって輸出総額が５・５％減少する中、コンテンツ部門の輸出はむしろ増加と健闘したのである。

アジアを中心に成長してきた韓流ブームが世界に広まったのは、ＳＮＳやＯＴＴ（ネット回線を通じて行われるコンテンツ配信サービス）といったニューメディアが大きな役割を果たした。特にYouTubeはブームの仕掛人ともいえる重要な役割を果たすことになる。

12年、『江南（カンナム）スタイル』でPSY（サイ）がYouTubeによってスターダムを駆け上がって以降、このプラットフォームは世界の人々が韓流に接する最も重要なものとなった。文化体育観光部が世界の韓流ファン約８５００人を対象に調査した「２０２２年海外韓流実態調査」によると、ファンが、Ｋ－ＰＯＰ、韓国ドラマ、韓国アニメ、韓国バラエティを観るために最も多く使っているプラットフォームとして挙げているほどだ。

他方、Netflixで公開されたドラマ『イカゲーム』は世界的に話題となり、韓国ドラマの存在感を高めることに一役買った。印象的な役どころを演じた俳優のオ・ヨンスはゴールデングローブ助演男優賞（テレビドラマ部門）を受賞。主人公のイ・ジョンジェは全米映画俳優組合賞をはじめ、３つの賞を受賞した。さらにＯＴＴを通じて放映される韓国ドラマの人気は、韓国のウェブトゥーン、すなわちデジタル漫画の人気をも押し上げた。韓国のウェブトゥーンを配信するプラットフォームは、すでに米国や日本、フランスなどへも進出している。

韓流コンテンツが他の国や地域の文化に比べて優れているかどうかはさておき、少なくとも海外進出を目標に、徹底的に計算して作られた文化ではある。ＩＴの発達や多様化したネットプラットフォームは、コンテンツに世界へとはばたく翼を与えてくれた。

以下ではその経緯について概観する。

『江南スタイル』の成功をもたらしたマジック

美男美女らが音楽の拍子に合わせて全員が同じ踊りを切れ味よく踊る、いわゆる「刃物群舞（カルクンム）（刃物のようなキレキレのダンスの意味）」や、色とりどりの衣装と舞台など、音楽に「見る」楽しみを加えたところに、Ｋ-ＰＯＰの特徴があるといわれる。ところが、世界のエンタメの中心である米国で、その存在を一番先に印象付けたスターは、Ｂ級感たっぷりの独創的な風体で踊る男だった。

力強い歌唱力や奇抜なダンスで韓国の大学祭などでも人気を誇ってきたPSYは、12年7月、『江南スタイル』を含む6枚目のアルバムを発表した。この曲は中毒性のあるメロディーや江南のスノッブな雰囲気に対する嘲笑や皮肉を織り交ぜた歌詞、軽快なコミックダンスといったキャラクターから、アイドル全盛の時代だった発表当時はあまり期待されていなかった。

12年といえば、BIGBANGや少女時代、SHINee（シャイニー）、Wonder Girls（ワンダーガールズ）など、すでにアジアスターとして名が知られていた〝第2世代〟のアイドルらが圧倒的な人気を誇っており、さらに次世代もデビューしてくる「戦国時代」。なにせ、〝第3世代〟アイドルの代表格であるEXO（エクソ）のデビューをはじめ、1年間になんと63組の新人が誕生した年だ。これら錚々たるグループの中で、アイドルとは程遠い空気感をまとった『江南スタイル』が世界的な反響を呼んだ秘密は、この曲のプロモーションビデオ（PV）にあった。

当時、PSYが所属していた事務所・YGエンターテインメントのYouTubeチャンネルを通じて公開されたPVは、韓国の上位1％の富裕層らが暮らす洗練された街・江南とは正反対のキッチュな感性が充満している。ところが、地下駐車場や漢江（ハンガン）公園、遊覧船の上、エレベーター、銭湯、地下鉄、競馬場、横断歩道などで繰り広げられるダサくて滑稽で愉快なパフォーマンスは、若者らを熱狂させた。

すでにSNSが全盛を迎えていた当時、PVはSNSに乗って国境を越え、瞬く間に全世界に広がった。さらに「乗馬（マルチュム）ダンス」と呼ばれるコミカルな振り付けも話題となり、

YouTubeでは数多くのパロディーやネットミームが投稿され、この曲にまつわる話題が席巻した。

この歌がネットを越えてメインストリームに躍り出たことには、海外の有名人やマスコミの功績も大きい。ブリトニー・スピアーズ、トム・クルーズ、ジョシュ・グロバンなど数多くのフォロワーを抱える世界的セレブたちが自らのSNSアカウントに『江南スタイル』の動画を掲載し、タイムズ、CNN、ウォールストリート・ジャーナル、LAタイムズ、ハフィントンポストなどのメジャーメディアが江南スタイルのPVや乗馬ダンスが社会現象になっていることを報じた。

PVは12年7月15日にYouTubeで公開されて以降、8月2日には1000万回の再生数を記録。同月21日にはiTunesのチャートでトップに。公開40日目の同月22日には5000万回を突破し、9月4日に1億回を突破。そこからは10日ごとに1億回ずつ再生数が増えるという破竹の勢いで、11月24日についに8億回を突破し、ジャスティン・ビーバーの『baby』が持っていた再生数1位の記録を塗り替えたのだ。その後も記録を更新し続け、12月には10億回、2年後の14年5月に20億回、そして22年1月には43億回という驚異的な再生数を記録している。

もちろん「ビルボードHOT100」でも7週連続2位となり、31週にわたってランキング圏内にとどまり続けた。ジャスティン・ビーバーを生み出した世界的なプロデューサーであるスクーター・ブラウンは、韓国人の友人からSNSで送られたPVを見た直後、PSYに連絡を取り、マネジメント契約を交わしたという。PSYは契約を締結してから、「ビッグモーニングバーズライブ」「エレン・ド・ジェネラスショー」「トゥデイショー」など米国の人気番組や「MTVビデオ・ミュージックアワード」「MTVヨーロッパ・ミュージックアワード」などの授賞式にも招待されるなど、一気にワールドスターの階段を駆け上った。

この成功ストーリーは、業界に新しい海外進出モデルを提案することになった。従来のものは、所属会社や海外の芸能事務所、あるいはアルバム流通会社と正式契約を交わし、韓国で大規模なショーケースを開くことから始まっていた。それから現地化戦略を駆使し、進出先の国の言語で作った曲でツアー公演を繰り返しながら認知度を高めるのである。日本でも高い人気を集めた東方神起の日本デビューなどはまさにこのケースだった。

一方、PSYの海外進出の成功は、全く意図しなかったYouTubeによってもたらされたわけで、まさに「ＳＮＳマジック」とも言うべきパラダイム・チェンジであった。

「どうしてYouTubeなのか？」

PSYが当時ＹＧエンターテインメントの所属だったことはすでに触れた。ＳＭやＪＹＰと共に韓国の３大芸能プロモーションの一角を担うＹＧには、BIGBANGや2NE1（トゥエニィワン）など、アジア各国で大きな人気を誇っていたアイドルが所属していた。

ＹＧは、YouTubeが一般的に利用されるようになる前から、ＰＶに力を入れてきたことで有名だった。同社のヤン・ヒョンソク元代表は、かつて各種インタビューで「ＰＶは海外のファンに曲を知ってもらうのに一番のツールなので、とても気を使ってきた」と何度も明らかにしている。実際、ＹＧ所属ミュージシャンのＰＶは世界のファンの間で高い評価を得ていた。12年にYouTubeが発表した「Ｋ‐ＰＯＰのＰＶ再生トップ10」には、ＹＧのPSY、BIGBANG、2NE1の曲が計６本もランクインしていた。

これに加え、彼らは早くから所属アーティストの新曲プロモーションにおいて地上波放送局だけでなく、ケーブル放送局、ネット放送局などの活用にも力を入れてきた。08年１月にはYouTubeチャンネルを開設し、12年時点で登録者数は５００万人に達した。

海外ファンを意識し、英語、日本語、中国語で提供されている。

彼らはYouTubeで新曲のPVを公開する際、短く編集したいわゆるティザー動画を先に公開するという手法を多用してきた。消費者の欲求をかき立ててファンの関心を集め、その時点で圧倒的な再生回数を稼いでおくのだ。その後に本編を公開した際、メインページに「最も再生回数が多い動画」として表示されることになり、結果的に大きな注目を集めることが出来る。

『江南スタイル』の場合、同じ事務所に所属するアイドルのファンたちに支えられた面も大きい。2NE1のメンバーの海外ファンたちがPVを積極的にリツイート。瞬く間にそれが伝播したことはよく知られている。

YGのこのような戦略について、PSYは、15年に「中央日報メディアグループ」が主催したカンファレンスで次のように説明している。

「アルバムを発売した日、会社から『PVをYouTubeにアップしたい』と言われました。私がなぜかと問うと、『海外の人も見られるように』と言う。私は『海外の人々が私のことを知っていると思っているのか。私の曲を全く聞いたことがない彼らがこの曲を理解できると思うのか』と半信半疑でしたが、会社は『BIGBANGや2NE1のことが好きな海外ファンなら、もしかすると（江南スタイルのPVに）興味を持つかもしれない。だからとにかくアップさせてほしい』と言う。

私はその後も普段通りステージ上で汗を流しながら乗馬ダンスを踊っていました。ところが妙な話が聞こえてくるではありませんか。『外国の誰々がTwitterでPSYをフォローした』みたいな話が次から次へと。はじめはどういう意味なのかわかりませんでした。当時は、ニューメディアのもつ影響力や威力に対する理解がほとんどなかったのです」（２０１５年９月21日付の中央日報記事から抜粋）

ＹＧにはPSYの他にも同じような戦略が奏功したアイドルがいる。世界的に最も人気のあるガールズグループの一つであるBLACKPINKだ。３人の韓国人、１人のタイ人のメンバーで構成された４人組は、「ブラック」と「ピンク」の組み合わせのようなシックさとキュートさをあわせもつグループとして誕生したが、今や「YouTubeの女王」という異名を持つほど、圧倒的な存在感を示している。

公式YouTubeチャンネルの登録者数は21年11月に７０００万人を突破してから22年５月30日時点で７４５０万人に及ぶなど、世界最多記録を保有している。18年６月に発表された『DDU-DU DDU-DU』のＰＶは22年２月１日に18億回を記録し、Ｋ‐ＰＯＰ

界で最多再生回数の記録を現在も更新し続けている。このほか、7億回を超えるPVが10曲、10億回を突破した曲も4曲に上る。

韓国振興院が発行した報告書「2014年米国コンテンツ産業動向」によると、米国内でK－POPを見たり聞いたりするツールとしては、YouTubeが81・5％と圧倒的だった。05年にサービスを開始したYouTubeも、初期のコンテンツ不足分をK－POP関連動画で補ったと言われる。両者はそれぞれコンテンツとプラットフォームとして互いに成長し、最高のシナジー効果を作り出したのだ。

“代役要員”だったBTS

韓国のアイドル育成システムは、現在では成功したビジネスモデルとして確立されている。企画会社はオーディションを通じて練習生を募集し、2～3年間の集中トレーニングをさせた後、さらに社内オーディションを行って「デビュー組」を選び出す。デビュー組は通常、ラップラインとボーカルラインに分けて4～10人ほどで構成される。

メンバーは全員、一定水準以上のダンス技術を身に付けていることが前提だ。デビュー組に選ばれた後も、本格デビューに向けて再び2～3年間の練習期間に突入する。ボーカルやダンスはもちろん、整形手術も訓練プログラムに含まれている。さらに世界の舞台に進出するために英語、日本語、中国語などの語学学習も必須となり、最近では厳しい競争からくるストレスを克服するためのメンタルケアと人格教育まで加えられているというから過酷である。

こうした育成課程の間、企画会社はデビュー前に莫大な費用を注ぎ込まなければならない。ＹＧの新人開発チーム関係者は、かつて新人オーディションの際に「（デビュー組）練習生1人当たり1年に少なくとも1億(ウォン)程度の費用がかかる」と語ったことがある。どの社も一つのグループを誕生させるのに何十億(ウォン)もの初期投資を行っているのが普通なのだ。

もちろんデビューまで漕ぎつけたからといって人気が出る保証はない。韓国では毎年50～60組のアイドルが誕生するため、この競争に勝つためには再び多額のプロモーション費用がかかる。したがって、結局はノウハウや資金が豊富にある大手事務所のアイドルばかりが最終的な勝者として生き残ることになる。零細事務所のアイドルたちは、テレビやラジオに出演すらできないまま、活動が終わってしまうことの方が多いのだ。

ところが多くのニューメディアが登場し、最近は中小規模の芸能事務所出身のアイドルにも、成功のチャンスが回ってきた。その良い例が、メディアから「土のさじのアイドル」と呼ばれたBTSのサクセスストーリーである。

BTSを生み出したパン・シヒョクは、TWICEやNiziU（ニジュー）で有名なガールズグループの名門プロで3大事務所のひとつJYPの作曲家出身だ。05年に独立し、「ビッグヒットエンターテインメント」という小さな企画会社を設立。13年にBTSをデビューさせた。当時のK‐POPシーンは今よりも寡占状態で、件の3大事務所が業界を完全に掌握していて、中小プロダクション所属のアイドルに出る幕はなかった。BTSも例外ではなく、大手に所属しているアイドルの出演がキャンセルになった際に〝穴埋め〟でやっとステージに立たせてもらえるという状況だった。デビューの場だった13年6月13日の「Mカウントダウン」も、〝穴埋め〟の代役出演だったというエピソードは、ファンらの間でも有名だ。

17年発売のアルバムに隠しトラックとして収録された『海（SEA）』の歌詞には、放送でカットされたことが数え切れないくらいあって、誰かの穴埋めをすることが俺たちの夢だなどと、無名時代の哀しさが表現されている。このような環境の中で、パン・シヒョクは地上波での大手事務所のアイドルとの競争に勝算がないということにいち早く気付き、主流メディアではなくニューメディアを活用したオンライン戦略に集中するようになる。

BTSはデビュー前の11年からTwitterとブログを始め、YouTubeやネイバーのVライブ（ファンとリアルタイムでコミュニケーションするライブ配信アプリ）などの動画チャンネルを開設し、自ら情報を発信してファンを作っていった。BTSは、複数のニューメディアを巧みに使い分けた。Twitterには簡単な挨拶を中心にアップロードし、YouTubeでは公式映像と共にメンバー個人が撮影・編集した映像が公開される。Vライブではリアルタイムでファンたちとチャットする。これらを通じて、デビュー前の練習生時代のトレーニングの様子や、年頃の少年らしいイタズラをしあう姿など、ありのままを伝えた。

既に有名になったアイドルグループではなく、どこにでもいるような平凡な少年たちの姿は、同じ年頃の人たちの心を動かし、「ARMY」（後述）という忠誠心の強いファンを作る土台となった。練習生時代を経てデビューを果たし、世界的なスターに成長していく成功ドラマは、オンラインを通じてファンと共有された。やがてBTSとARMYは単なるアーティストとファンの関係ではなく、家族や兄弟のような深い絆を持つようになったのだ。

BTSは、今もなおデビュー当時と同じようにニューメディアを通じてファンとのコミュニケーションを図っている。活動休止時期にも「餌（トクパプ）」と呼ばれる動画や写真などのコンテンツを発信し続けた。YouTubeに開設されたチャンネルでは、独自のリアリティ映像、撮影現場のエピソード動画、コンサートツアーのドキュメンタリーなどのコーナーを設けている。

前述の「Vライブ」に加え、メンバーの旅行記、メンバー自ら製作に参加するリアリティ・バラエティなど多彩なチャンネルも展開。このようなトクパプは活動休止中もファンの離脱を防ぎ、新しいファンを流入させる効果があった。

21年3月に韓国の地上波放送のSBSが放送した「伝説の舞台アーカイブK～K－POPはいかにして海を渡ったのか」というドキュメンタリーで、パン・シヒョクはBTSの成功要因の一つにニューメディア戦略を挙げた。

「私たちが望むコンテンツを私たちが望む方法で提供し、人々がより長い時間をかけて楽しめるようにするために、ニューメディアに集中した。このような明確な戦略的判断で、アーティストの真の姿を見せることができました」

世界を席巻したARMY

BTSの成功を考える際に、熱心なファンである「ARMY」たちの存在は外せない。この呼称にはいくつか意味があって、「Adorable Representative MC for Youth（若者を代表する魅力的なMC）」の頭文字をつなげた言葉であったり、文字通り軍隊を意味する「ARMY」であったりすると言われる。ご存じの通り、BTSの韓国語名は「防弾少年団」だ。銃弾のように降り注ぐ社会的偏見と圧迫を防ぎ、自分たちの音楽と価値を守り抜くという意味が込められているのだが、ファンは彼らBTSを守る軍隊（ARMY）だというわけだ。

ソウル市龍山区（ヨンサング）に住むミン・ジュンヒ（19歳）は17年にARMYに加入し、3年間活動した。

「16年に1年間、米国で英語研修を受けて帰国しましたが、韓国に帰ってからは事情があって、中学2年生から3年生にかけての1年ほど、学校を休んでいました。その時、弟がYouTubeでBTSのPVを見ているのを偶然目にして以来、ハマってしまいました。それからファンクラブがあることを知って加入したんです。会費の3万5000（ウォン）

を払うと、キットとカードが家に届けられました。ファンクラブは1年ごとに更新しなければならないのですが、コンサートチケットの前売りやARMYのための公式グッズが購入できるのが一番の特典です（現在、コンサートはARMYだけが予約できるようになっている）」

彼女は同世代の若者たちと同じように、一日中、BTSの応援にのめり込んだという。その方法も現代ならではである。

「当時は学校に行っていなかったため、目が覚めてから寝るまで、ずっと関連情報を探し回っていました。他のファンがYouTubeにアップロードする動画を視聴してみたり、ARMYのファンカフェに寄ってお知らせを確認したり……。新曲が発売されれば、Twitterの『総攻（チョンゴン）』（新曲の順位を上げるため、ファンらが総攻勢をかけること）アカウントで教えてもらった通り、援護射撃をするんです。PVの再生数を上げるためにストリーミング再生を繰り返す『ミュス』や、無音でストリーミング再生を続ける『無音スミン』などをしながら、夜通しARMYたちとリアルタイムでチャットをしていたこともあります。

ARMYたちは、特定の個人メンバーを応援するのではなくメンバー全員を応援する

『オールファン』が基本。他のアイドルファンのように特定メンバーだけを応援し、他のメンバーを中傷する『悪個(アクゲ)（悪質な個人ファン）』がいないので、ファン同士のトラブルもなく、まるで家族のような雰囲気です。ARMYの総攻でBTSが1位になったときには、私自身が賞をもらったかのように嬉しかったです。米国から帰国直後に友達もなく一人で過ごした私にとって、BTSは友達であり、優しく教え導いてくれる先輩でもありました。私を慰め、癒してくれたBTSを応援したいという気持ちが強かったので、できるすべてのことをしたいと思いました」

韓国ではARMYのことを、「ファンクラブ」より、「ファンダム(fandom)」という用語で呼ぶことが多い。「ファン」に「状態、地位、領土」などを意味する接尾辞「-dom」を付けたもので、ファンの集団、さらにはファンの文化全般を指す言葉だ。このファンダムも、ネットの進化がもたらした現象に他ならない。彼らは強力な関係で結ばれ、共通の価値観やルールを共有し、さらに強力なものへ発展していく。

所属事務所が管理・運営する公式ファンカフェを中心に強力な組織を作り、一糸乱れぬ動きで応援するアイドルのために積極的な消費活動をする。したがって、どれだけ強力なファンダムを持っているかが収益に直結し、彼らの活動成績を左右するのだ。

彼らの世界進出により、このような独特なファン文化も全世界に広がっている。20年9月1日、BTSのシングル『ダイナマイト』が韓国歌手として初めて「ビルボードHOT100」チャートで1位を獲得したのは、米国のARMYたちが手を取り合うようにして成し遂げたものである。彼らは米国50州の連合ファンサイトを作って組織的なサポートを展開している。

例えば、ビルボードチャート内のBTSの順位を上げるため、韓国のARMYのように「総攻」をする。ラジオでの放送回数を上げるため、米国を5つの地域に分け、共通マニュアルを基に当該地域の放送局に絶えずリクエストする。こうしたキャンペーンは18年から進められ、今もなお米国ファンの「総攻」は続いているという。

BTSの所属事務所であるハイブは、K‐POPのファンダムを1カ所に集められるグローバルなファンコミュニティをリリースしている。これには、BTSだけでなくハイブ所属アーティストの他、BLACKPINKなど、他社所属アーティストのファンまで対象になっている。それぞれのファンは、自分が好きなアーティストのコンテンツを楽しんだり、アイドルと会話をしたり、彼らのグッズを購入したりもできる。これまでSNSはもちろんファンカフェ、公式ショップといった様々なチャンネルが担ってきた役割が全てここに集約されているのだ。世界的なＳＮＳに代わって、Ｋ‐ＰＯＰのグローバルファンダムのための新しい生態系が韓国発で生まれようとしている。

第4世代に突入したK‐POPアイドル

Ｋ‐ＰＯＰアイドルの歴史は96年にデビューしたH.O.T.にさかのぼる。彼らをはじめとする第１世代にはジェクスキス、ＪＹＰがプロデュースしたgod、ガールズグループのS.E.S.やフィンクルなどが含まれる。漫画の主人公のような外見を武器に10代の若者に崇拝される部分もあったが、活動範囲は主に韓国内にとどまっていた。

00年代半ばになると、第２世代アイドルが登場する。この世代のアイドルの多くは、数年間にも及ぶ練習生期間によって、優れた歌唱力や刃物群舞（カルクンム）と呼ばれる高難度のダンスを披露するようになる。これは第１世代のアイドルが指摘されていた歌唱力の低さや実力不足といったマイナス評価を克服するための努力の賜物だった。

その代表格といわれる東方神起は、自ら作詞・作曲するなどアーティストとしての一面をもつアイドルグループの原点となった。第２世代の全盛期を演出したBIGBANGは、メンバーの１人G‐DRAGONの卓越したプロデュース能力に加え、メンバー全員がソロアルバムを発表するなど実力派として国民的に愛されてきた。ほかに少女時代やWonder Girls、KARAといったガールズグループも同世代として知られる。彼らは、海外進出にも力を入れ、中国や日本などの東アジアを中心に知名度と人気を高めた。

12年にデビューしたEXOを筆頭に、Wanna One（ワナワン）、SEVENTEEN、BTSなどのボーイズグループ、TWICE、BLACKPINKなどのガールズグループは第3世代に区分される。彼らはK-POPのグローバル化が本格化した世代である。大手プロダクションを中心にまず国内での知名度を高め、そこから海外市場を狙った第2世代アイドルの戦略から脱却し、デジタルプラットフォームを基盤に韓国と海外で同時に活動する戦略で一気にグローバルスターに躍り出た。

第3世代は前述のファンダム型アイドルの全盛期でもある。オーディション番組などによって選抜されてからデビューするまでのトレーニング過程をファンに公開する「プレデビュープロモーション」を通じて、デビュー前から強力なファンダムを獲得した。カリスマ性を強調した過去の世代と違い、第3世代は音楽の方向性や活動内容などにファンの好みが強く反映され、親しみやすくファンとの距離感がないように映るのも彼らの特徴である。

そして、18年頃から第4世代という表現が頻繁に登場するようになった。彼らは00年代生まれのメンバーで構成され、主に10代後半~20代半ばの若いファンダムを持っていると定義される。「ズズズ」と総称されるストレイキッズ、ザ・ボーイズ、エイティーズをはじめ、日本で人気の高いNiziU、TXT、エンハイフンなどが、第4世代アイドルの代表格だ。

20年11月にデビューしたSM所属のガールズグループのエスパは、AIやVRを応用した独特な世界観で注目を集めている。彼女らは4人の実在メンバーがVRに作られたそれぞれのアバターを介して、新しい世界を体験し成長する旅に出るというコンセプトを掲げる。例えば、デビュー曲『ブラックマンバ』では、ブラックマンバという存在がメンバーたちとVRのアバターとのシンクロを切断してしまうというシーンが設定され、3曲目の『ネクストレベル』で、この問題を解決するために4人が荒野に旅立つというシーンを描いている。

一方、22年3月にデビューしたファーストワンエンタテインメントのNINE.i（ナインアイ）は、リアルと仮想を繋ぐ「NINE.iアルゴリズム」という世界観を提示する。

この世代のアイドルファンの中心を担う20代は、デジタルネイティブらしく、ネットが作り出した仮想空間を現実世界のように自然に受け入れ、仮想世界で自分たちが好むアイドルと共存しながら、彼らだけの世界観を拡張させていくようだ。

ヒットの方程式を根底から覆したNetflix

日本で流行した韓流ドラマの原点は、おそらく『冬のソナタ』だろう。切ない恋の物語を水彩画のように美しく表現したこのドラマは、「ヨン様」「ジウ姫」などの流行語も生み出し、社会現象にまでなった。02年、KBSメディアで『冬のソナタ』の輸出を担当し、現在はYOUNG & CONTENTS社の代表として韓国ドラマの海外プロモーションを行うイ・ヒョヨンは当時の状況を次のように回想する。

「『冬のソナタ』は最初から日本への輸出を狙って作ったドラマではなく、日本でヒットしたのは、単にタイミングが良かったのだろうと思います。ヒット後には、ドラマの演出や筋書きが、数十年前の昭和の純な日本を連想させるという話をよく耳にしました。そもそも我々が売り込んだのではなく、日本側から積極的にアプローチがあったんです。当時は、東南アジアなどで韓国ドラマがささやかな人気を集めていた程度でしたが、日本でもケーブルテレビでユン・ソクホ監督の『秋の童話』が放送され、良好な反応があったそうです。それでＮＨＫから、ユン監督が作った、似たような雰囲気のドラマはないかということで『冬のソナタ』に対するオファーがあったというわけです。ＮＨＫ側はドラマの放映権の他にも、引き続き、漫画、小説、韓国語テキストといった関連商品を提案してきました。その頃の韓国には、ワンソース・マルチユースなんて概念はまだなく、想像もできないような数の関連著作物が次々と誕生するようになりましたね」

冬のソナタは、30億ウォンの制作費で、３００億ウォンの収益を稼ぎ出す大成功を収め、その後、韓国ドラマ業界は規模の小さい「内需」市場よりも、海外市場に関心を寄せ、海外の視聴者をターゲットにした作品を企画するようになる。東アジア圏とりわけ日本は韓流ドラマの最大のマーケットだったため、当初から、徹底的に日本のニーズに合わせた企画が作られていた。イ・ヒョヨンはこう続ける。

「恋愛ドラマにもいくつかジャンルがあって、その地域の韓流ファンに人気があるストーリーパターンに、その地域で人気がある俳優やスタッフを組み合わせてドラマを制作するというのが定石でした。日本でどんな俳優が人気なのか、どんなストーリーがウケるのかが、当時のドラマ制作会社が最も関心を持っていた部分でした」

その後、中国でも韓流ドラマ人気が高まり、関係者の関心は中国にも向けられるようになった。しかし16年、THAADの朝鮮半島配備をめぐる中韓対立で、中国では事実上、韓流の輸入が禁止されてしまう。中国という最大の市場を失い、存亡の機に立たされたかに見えたが、ちょうどこのころ、救世主となるNetflixが登場するのだ。

「若い利用者が多かったNetflixは、韓流ドラマが若返るきっかけも作ってくれた。従来のメインターゲットは中年女性でしたが、それがNetflixの登場で性別や年代を超えて、より多くの人々を取り込んでいくのが分かりました。この現象は制作側の心境にも変化をもたらし、特定の地域の流行ではなく、世界的な潮流に合わせたジャンルやストーリーの作品にシフトするようになりました。『冬のソナタ』の時代には考えられなかったような、より若くてトレンディなドラマが創られるようになったというわけです」(イ・ヒョヨン代表)

Netflixがもたらした変化はこれだけではない。韓国ではドラマ制作は映画制作より一段下に見られることが多かったが、Netflixがドラマに十分な制作費を支出するようになり、映画界で活躍していた人材が次々とドラマ制作に乗り出す現象が起きたのだ。

Netflixが韓国に進出した16年から20年までの5年間で、コンテンツ制作に計7700億ウォンの資金を投じ、21年には1年間だけで5500億ウォンの制作費を投じている。さらに

22年には8000億～1兆ウォンもの制作費をかけて25本ものオリジナル韓国ドラマを作るという計画を立てているのだから、相当なレベルだ。

大衆文化評論家のキム・ホンシクは、Netflixが韓国ドラマ界に及ぼす影響について、次のような点を指摘する。

「韓国では映画的な技法を駆使して作られるドラマを指す〝シネラマ〟というジャンルが流行しているが、Netflixはその現象をさらに加速させているといえる。スポンサーからも自由で、潤沢な制作費を使えるという最高のドラマ制作環境を提供するNetflixは、映画界で活躍する若くて有望な監督たちにも秋波を送っている。大ヒットした『イカゲーム』も、『るつぼ』や『怪しい彼女』、『南漢山城』（邦題は『天命の城』）などのヒット映画を多く生み出してきたファン・ドンヒョク監督が脚本・演出を担当したもので、代表的なシネラマといえるだろう。『パラサイト～半地下の家族』（第5章）をはじめ、韓国映画は海外映画祭でもその可能性が評価されるようになっていたが、その〝可能性〟がNetflixに出合って開花した好例が、『イカゲーム』だった」

『イカゲーム』は、莫大な借金を抱えて人生の崖っぷちに立たされた456人の人々が456億ウォンの賞金をかけてミステリアスなデスゲームに参加するというストーリー。21

年9月17日にNetflixで公開されて以来、1週間後には韓流ドラマとして初めてNetflix総合順位で1位に輝き、公開28日目には1億4200万世帯が視聴し、歴代最高ヒット作という称号も手に入れた。

その成功後、『地獄が呼んでいる』や『今、私たちの学校は』などNetflixの興行順位で韓流ドラマが次々と1位を獲得している。

OTT時代到来とコンテンツパワー

『イカゲーム』はNetflixオリジナルだったが、韓国のテレビで放送されたドラマもNetflixを通じて世界に配信されている。日本で人気が高かった『梨泰院クラス』や『愛の不時着』がこのようなケースだ。Netflixが韓流コンテンツにとりわけ力を入れている理由について、先のキム・ホンシクは次のように分析する。

「韓流ドラマは中国や日本だけでなく、東アジア全域、さらに中東でも高い人気を集めている。北米市場で成長が鈍化しているNetflixとしては、これらの地域で新しいユーザーを掘り起こすためにも韓流ドラマに集中するのが良いと考えたのだろう。持続的な契約者の増加のために、人口の多いアジア圏に力を注ぐのは、ある種、当然ともいえる」

18年11月にシンガポールで開催されたNetflixのラインナップイベント「See What's Next（SWN）Asia」において、当時最高コンテンツ責任者であったテッド・サランドスは、韓国のコンテンツ開発に多額の投資をする理由について次のように説明している。

「ポン・ジュノ監督の『オクジャ』に初めて投資し、監督と長い時間を過ごしているうちに韓国に対するインサイトが生まれた。（韓国は）映画とテレビを愛し、高速ネットとブロードバンドサービスを持っているため、コンテンツ消費にアクセスしやすい環境が確保されている。さらに、アジアだけでなく、全世界で韓国のテレビコンテンツは関心を持たれているため、アジアにおいて戦略的に重要な投資先となる」

Netflixの人気コンテンツのうち、韓国ドラマが1位を占める国は、主にアジアや南米、中東など成長中の市場である。そして、21年第4四半期には、北米の有料加入者が120万人増加する間に、アジア・太平洋地域では260万人も利用者が増加。さらに、『イカゲーム』ブームが起きた7～9月期にはアジア太平洋地域だけで220万人も加入者が増え、全世界の新規加入者数の半数を占めるに至った。欧州や中東、アフリカ地域でも180万人増加しているが、同期間の北米地域の新規加入者は7万人に過ぎない

（数字はNetflixのホームページより）。

グローバルOTTマーケットの後発走者である「ディズニープラス」も、韓国コンテンツに注目している。21年11月に韓国市場でのサービスを開始したディズニープラスは、22年の1年間で、12本のオリジナルシリーズをはじめ、計20本のドラマやバラエティなどの韓国コンテンツを配信すると発表した。ディズニーコリア側は、メディアの取材に対し「韓国オリジナルは、韓国はもちろん、ディズニープラスが進出しているアジア64カ国でも競争力を強化するための力になる」と強調している。業界関係者によれば、ディズニープラスは22年の1年間で約2000億ウォンを韓国コンテンツ制作に投資する予定だという。

韓国初のOTTである「ワッチャ（WATCHA）」は20年から日本でサービスを開始し、海外進出に乗り出した。韓国最大のメディアグループ「CJ ENM」の系列会社である「ティービング（TVING）」もLINEなどと提携し、日本や台湾への進出を進めている。大手通信会社のSKテレコムと地上波テレビ局3社の連合OTTである「ウェーブ（wavve）」は、韓国地上波テレビのコンテンツを武器に東南アジアに進出している。

「『イカゲーム』やBTSの世界的な人気で注目すべきなのは、それまで〝非主流派〟

だったコンテンツがＳＮＳやＯＴＴなどの強力なアシストで〝主流派〟を圧倒したことだ。世界の大衆文化の領域は長い間、米国などの西欧諸国の文化が主流をなしていて、韓国は絶えず西欧圏に認められるようにと努力をしてきた。ところが、BTSはアジアでまず安定したファンダムを形成し、それが米国でのヒットにつながったし、『イカゲーム』も中東や東アジア、南米などで好感触を得て、ヨーロッパと米国に伝わっていった。ＩＴの発達によりコンテンツのヒットの方程式が大きく変化しているのだろう」（キム・ホンシク）

21年、全世界のＯＴＴ市場の規模は約１４１０億ドルと推定される。コロナの影響もあり、18年の７６０億ドルから2倍近くに急拡大した。Netflixとグローバルコンサルティングのデロイト・トゥシュ・トーマツが共同で発表した報告書によると、Netflixが韓国に進出した16年から20年までの5年間、韓国メディア産業に及ぼした経済的波及効果は約5兆５０００億ウォンに達し、化粧品や食品、ファッション産業などにも2兆７０００億ウォンの経済効果をもたらす一方、１万６０００人の雇用を創出したという。ＯＴＴという放送の境界を崩したニューメディアが、韓国の文化産業にさらなる可能性を与えたと言える。

韓国発ウェブトゥーンが全盛を迎えたワケ

最近の韓流コンテンツで特に注目を集めている分野がウェブトゥーンだ。これは「ウェブ（Web）」と漫画を意味する「カートゥーン（Cartoon）」が合わさった造語で、ネット上で連載されているコミックを指す。漫画やアニメは長らく日本の専売特許であったが、ウェブトゥーンが花開いたのは韓国においてだった。

カカオグループによると、カカオのウェブトゥーン・プラットフォーム「ピッコマ」は、世界最大の漫画市場である日本で21年、７２２７億ウォンの年間取引額を達成した。これは前年比74％増で、16年のサービス開始以来の累積取引額も１兆３０００億ウォンを突破したという。ピッコマは、22年3月にフランスでもサービスを開始し、今後は欧州全域に活動範囲を広げる計画だ。

日本で「ＬＩＮＥマンガ」という名前でサービスを行っている「ネイバーウェブトゥーン」は、ピッコマと並ぶ韓国の２大プラットフォームといえる。20年7月からは、日本市場でピッコマにシェアトップの座を明け渡したが、それでも世界中で月当たり１０００億ウォン近い売り上げを記録している。

ウェブトゥーンは、パソコン通信文化の全盛期である90年代後半に誕生した。漫画をスキャンした単純な方法から始まり、徐々にネットの特徴に合わせた作品も生まれ始めた。00年代に入ると、ポータルサイトがユーザー確保のために無料のウェブトゥーンサービスを開始し、急速に普及。ユーザーを長い時間サイトに滞在させることができるめどが立つと、サービスを一部有料化するようになる。

ウェブトゥーンが文化産業の一つのジャンルとして本格的に発展していくに伴い、ウェブトゥーン作家たちの作品を管理してくれるエージェンシーも誕生。現在、7つほどが存在する。ウェブトゥーン分析サービスの企業によると、22年3月時点で、韓国には37のプラットフォームがあり、計9922人の作家が活動している。

漫画評論家の朴仁河（パク・インハ）はウェブトゥーンの人気要因について次のように説明する。

「60年代から子どもたちの間で漫画が流行し、80年代には、成人向け漫画雑誌が創刊されるなど漫画を読む大人も増加しました。90年代に入ると、コミック市場が成長し、一方で日本漫画の正式な輸入解禁により漫画が青少年文化として脚光を浴びるようになりました。ただ、青少年保護法による成人向け漫画の制約、90年代後半のブロードバンドの普及やオンラインゲームの台頭により、00年代に入ると漫画文化は再び壁にぶつかってしまいます。そんな韓国漫画界が、10年以降、ウェブトゥーンを通じて再び勢いを取り戻し始めたのです。ポータルサイトから始まったウェブトゥーンは、スマホ普及後、さらにスピードを上げて広まっています。ウェブトゥーンは、出版形式の漫画と違って、掲示板に連載され、読者と作家が相互に影響を及ぼし合うことができる。

たとえば、ネイバーウェブトゥーンは、コメント数や★の数、シェアリングのような読者からのフィードバックによって、『挑戦漫画→ベスト挑戦漫画→正式連載』という風にステージを上げていくのです。だから、ウェブトゥーン作家たちは、読者とのコミュニケーションを円滑にするため、ストーリーの展開を意図的にスピードアップしたりする。この場合、時間をかけて主人公の成長を物語るより、最初から成長した主人公が問題を解決するというストーリーを展開させ、主人公の努力や苦労はあまり描かれません。こうしたウェブトゥーンの変化は、モバイルコンテンツ特有の『速さ』に起因しているのです」

日本で人気を集めた『梨泰院クラス』は、ピッコマのウェブトゥーンが原作だ。16年から無料公開されていたが、18年7月に完結した直後に有料サービスに移行した。有料サービスで配信された『梨泰院クラス』は、カカオウェブトゥーン史上最高の売り上げを記録し、1000万人の読者を獲得した超ベストセラーである。ドラマも原作を忠実に再現しようと原作者が自ら脚本を担当し、主人公のパク・セロイ（パク・ソジュン）をはじめ、主要登場人物は外見や表情まで漫画と同じであった。

Netflixのオリジナルドラマ『今、私たちの学校は』は、ネイバーウェブトゥーンが原作だ。11年に連載が終了して以降、16年からはアジア、アメリカ、ヨーロッパなどで段階的に公開され、人気を集めている。

他にも『地獄が呼んでいる』、『Sweet Home—俺と世界の絶望—』、『私のＩＤはカンナム美人』、『ミセン』など、日本の韓流ドラマファンに馴染みのある人気ドラマだけではなく、『神と共に』『シークレット・ミッション』といった、人気ウェブトゥーンが原作の作品は枚挙にいとまがない。

映画界とドラマ界がウェブトゥーン作品を好んで原作として使いたがる理由について、あるドラマ制作会社の代表は次のように話す。

「09年に日本の漫画原作のラブコメ『花より男子』がアジアで大ヒットしたことで、韓国ドラマ界では日本の漫画原作ブームが起こりました。韓国では想像できないような奇抜なアイディアが強みの日本漫画は、いわば韓国ドラマの『アイディア・バンク』だった。しかし、そこにはハードルがあって、版権を持っている日本の大手出版社の閉鎖的で高圧的にも見える態度が障壁となったんです。日本の出版社は〝英語ではなく日本語ができる人間を窓口に〟〝シナリオは毎回チェックさせること〟など条件が厳しかったですし、規模の小さいドラマ制作会社は相談にすら乗ってもらえない門前払いのケースも多かった。それで、ドラマ制作会社は日本漫画に代わって韓国のウェブトゥーンを原作にすることになったのです」

韓国のウェブトゥーン市場は、10年の1000億ウォンから20年は1兆ウォンへと急速に成長している。ウェブトゥーンを原作とする映画、ドラマ、ゲーム、キャラクター商品などの「2次付加価値産業」が活発なためだ。今や、ウェブトゥーンは最高の輸出商品となった。漫画の宗主国である米国と日本はもちろん、ヨーロッパにまで進出し、世界の若い世代から人気を呼んでいるだけではなく、韓国で作られる映画、ドラマ、ミュージカル、演劇のソースを提供する、非常に魅力的で競争力のある産業になったのだ。

第４章　ネット文化の中心に鎮座するオンライン・コミュニティ

ろうそく集会、反日不買、学暴 MeToo の起点として

韓国のネット文化を語るうえで避けて通れないのが、共通の関心をもつ若者たちが情報を共有する小規模なサイトから始まった「オンライン・コミュニティ」の存在だ。今や文化、芸術から食、生活、社会、政治まで、様々なテーマ別に細かく分かれた掲示板を使って、幅広い情報と意見を交換する巨大な広場へと成長した。

20代をターゲットとする研究機関「大学明日20代研究所」が、全国の15～40歳の９００人を対象に行った実態調査（２０２１年5月）によると、韓国のＭＺ世代の71・４％が、ここ1カ月でオンライン・コミュニティに接続したことがあると答えた。

ＭＺ世代は、ミレニアム世代とＺ世代を合わせた造語で、80年代前半から２０００年代半ばまでに生まれた20代と30代を指す。ＭＺ世代の接続頻度は平均週に４・４日で、毎日接続していると答えた人も44・２％にのぼるほど、韓国の若者はオンライン・コミ

ユニティにかぶれている。

　こちらにアップロードされて人気となったコンテンツはあっという間に広がり、それにスポットライトが当たることでオフラインの世界でも注目を集める。レガシー・メディアの中には、ここに常駐して人気コンテンツをネタに記事を作る専門記者まで存在する。ときにニュースの情報源となり、また様々なネットミームを生み出す製造工場にもなるのである。

　また、朴槿恵(パク・クネ)政権を崩壊に導いた「弾劾ろうそく集会」は、韓国の民主主義を論じる際に欠かせない事件として記憶されているが、コミュニティはこの集会に人々を動員する上でも重大な役割を果たした。レガシー・メディアが伝えられなかったり、あるいは恣意的に伝えなかったりする情報がコミュニティを中心としたネット世界に溢れ返り、それが自発的な反政府抵抗運動の動力源となった。つまり、現実世界の大規模な市民運動を仕掛けるツールとして働き、政権まで崩壊させてみせたのである。

　また、19年7月に始まった反日不買運動も同様に、ネットがこの運動の前線基地として中心的な役割を果たした。現実世界で不買を強いる社会的な圧力を生み出して日本製品を売る人々を罵倒する空気が醸成されたり、ユニクロ製品を購入する韓国人を監視する「ユニクロ自警団」まで登場したり、自由空間であるはずのネットがむしろ、考え方の幅を狭め、個人の自由を抑圧したのだ。

後述するが、21年に流行した「学暴（校内で行われるいじめや暴力）MeToo」事件もコミュニティが生み出した社会現象の一つである。韓国の芸能界とスポーツ界で起きた学暴事件は、エリート教育やいじめ問題に対する社会的警戒心を改めて喚起し、一方で当時の世論に便乗した根拠のない告発がネット上で流行し、多くの有名人が被害を受けた。

時間と空間を越えて人々をつなぎ、個人が自由に意思を表現できるネット空間が、民主主義に大きく貢献しているのは明らかである。不特定多数の声が発信され、意見が形成されるようになり、権力側が情報を独占したり世論を誘導したりすることは不可能に近づきつつある。

ただ、こと韓国において、この理屈はすんなりとは受け入れられない。日常生活で交わることがなかった人々がネットで容易に交流できるようになり、時に彼らと自分を比較しては悲嘆に暮れる、いわば「過剰連結」社会が生み出されつつあるのだ。ひいては、ネットが民主主義を壊す存在となりうるという仮説が力を持ち始めている。

コミュニティの開花期

ここからはコミュニティの具体名が頻出するなど、ややマニアックな内容となるが、しばしお付き合い頂きたい。

先に触れた通り、韓国における民主主義のシンボルと化したろうそく集会は、その発祥からネットと深い関係がある。92年、ハイテル（Hitel）というパソコン通信サービスの有料化に反発した利用者らがろうそくを手に集まったことで、以後、企業や政府の方針に対する反対行動がろうそく集会と呼ばれるようになった。

ここに出てくるパソコン通信とは、電話モデムを介してホストコンピューターにアクセスし、ホストコンピューター内で情報を取得・検索したり、会員同士でメッセージやデータを交換したり、はたまたオンラインでの商品購入やサービスの予約・注文など、様々な行為を行えるようにするものだ。89年に韓国経済新聞が運営する「ケテル」（後にHitelに変更）が立ち上げられたのを皮切りに、「ナウヌリ」「千里眼」「ユニテル」など、数多くのサービスが生まれ、90年代に全盛期を迎える。

サービスには、大きく分けて二つの機能があった。ニュースや金融、証券、生活情報などの情報提供と、同好会などの掲示板を利用して行われるコミュニケーションである。

そのうち、掲示板が現在のネット文化の中心となるオンライン・コミュニティの嚆矢となった。日本でも人気を博した韓国映画『猟奇的な彼女』はナウヌリのユーモア掲示板に連載されていた小説で、韓国ファンタジー小説の始まりとも言える『ドラゴンラージャ』もここから生まれた。代表的な韓流コンテンツとして定着したオンラインゲームもゲーム掲示板から始まっている。

99年、超高速ネット通信網が本格的に普及し始めると、電話モデムを使ったパソコン通信の人気は下降。パソコン通信はポータルサイトに会員を奪われて、ついには00年代初めに自然消滅する。

一方、コミュニティは、前述のように韓国初のポータルサイト「ダウム（現ダウム・カカオ）」が99年から始めた「ネットカフェ」というサービスで本格的に開花した。これは、ユーザーがダウムから提供されたツールでカフェを開設し、会員を募集して運営する方式だ。

当初はかつての同好会とあまり違わなかったが、そのうち趣味やゲーム、映画、舞台、音楽、文学はもちろん、地域、職業、政治、経済、社会など広範囲な分野をテーマにした様々な場が作られ、次第に「オンライン・コミュニティ」という名前で呼ばれるようになる。

ダウム・カカオがカフェサービス開始20周年の19年に発表した統計によると、月間利用者数は2500万人、1日平均の書き込み数は60万件に達する。また、韓流スターの公式ファンが集まるカフェも491存在し、中でもBTSの公式ファンカフェは142万人もの会員を擁している。朴槿恵のファンカフェもダウムに開設されている。

08年、米国産牛肉の全面輸入に反対する集会があった際には、その影響力が如実にあらわれた。化粧品、美容整形、そしてファッションの「3大女性カフェ」の会員だった10〜40代の人たちが、新しいデモ文化を作り出した。

主婦たちは赤ちゃんを乗せたベビーカーを押して、女子中高生は制服を着て、それぞれデモに参加した。現場に立ち会えなかった人たちは、掲示板に状況をリアルタイムでアップし、拡散するのに貢献した。ろうそく集会の参加者の60%が女子中高生だったというニュースがあるが、そのほとんどがK‐POPスターのファンカフェ会員で、カフェにアップされた集会の情報を読んで参加したという。実際、東方神起の公式ファンカフェ「カシオペア」には、「80万人のカーア（カシオペア会員の意）の力で東方神起を狂牛病の危険から守ろう」という趣旨の檄文が掲載されていた（中央日報2008年5月5

日）。

99年に開設されたポータルサイト・ネイバーも、カフェサービスを提供している。サービス開始は03年12月で、ダウムに比べて後れをとったが、ユーザー数や検索エンジンの技術的な優位性で、たちどころにダウムカフェを上回った。今やおよそ１０００万以上のカフェが開設されているとされ、現在はネットカフェのシェア１位に君臨している。

これらの中には、Ｋ－ＰＯＰ絡み以外にも大規模な会員を有し、相当な影響力を持つところが少なくない。１７９万人の会員を擁するネイバーの「不動産スタディカフェ」は、文字通り不動産をテーマとする場だ。文在寅（ムン・ジェイン）政権下では、急上昇した不動産価格と懲罰的な不動産税政策に対抗してろうそく集会を開催するなど、政策批判の先頭に立ってきた。レガシー・メディアも、文政権の新しい不動産政策が発表されるたびに、真っ先にこのコミュニティの書き込みを調査するほど、事情に精通し、世論を動かしているといえる。

他方、中古品取引サイト「中古ナラ」は03年にネイバーカフェで始まり、現在は１９００万人もの会員を抱えるＥコマース企業に成長した。スマホ向けアプリには２４００万人が加入している。

緋文字扱いの極右・反社会的サイト

これら大手ポータルサイト内で開設されるカフェの他、単独ドメインを使用するコミュニティサイトも多数存在する。こちらは、会員登録が必要な大手のカフェとは異なり、誰でも参加できるという点で特に若者に人気が高い。少し込み入った話ではあるが、現在に至るまでの変遷は大事な点なので辿っておきたい。

韓国初のコミュニティサイトは99年に開設されたDCインサイドだ。当時は金大中(キム・デジュン)政権で、ベンチャーブームの真っただ中。日本に留学した経験を持つ金裕植(キム・ユシク)が日本の秋葉原での経験をもとにデジタルカメラとパソコンに関する情報を扱うポータルサイトとして開設した。当初は広告や製品販売などをビジネスモデルにしていたが、そのうち会員自ら撮影した写真を掲載する掲示板が爆発的な人気を集め、BBS中心のコミュニティサイトへと転換する。

以後、「ギャラリー」と呼ばれる掲示板中心のサイトとして変身し、21年の時点で、大小合わせて3万8000ものギャラリーが開設されている。サイト接続者数はネイバー、グーグル、YouTube、ダウムに続く5位だが、1日にアップされる新コンテンツ数は100万件、ページビューが1億2000万ビューで、名実ともに最大規模のコミュニティといえる。

ここは、会員登録せずに掲示板に書き込んだり、書き込みを読んだりすることができる完全開放型で、記者や芸能界関係者、政治家の秘書なども、ネット世論を把握するためにチェックを欠かさない。

わけてもエンタメに関するカテゴリが有名で、会員登録が必要で厳しい規制がある韓流スターらの公式ファンカフェよりも、誰でもアクセスが可能なDCギャラリーの方が規模が大きい場合も多い。それゆえに、〝本人〟が「ゲルシュ（ギャラリーの持ち主）」という名前で投稿を行い、ファンと交流することもしばしばだ。大統領選が佳境を迎えた22年1月には「李在明（イ・ジェミョン）ギャラリー」に李が登場したことで話題になった。

一方、匿名掲示板という特性上、ヘイト表現や犯罪予告などが掲載され、物議をかもすことも多い。13年、政治・社会ギャラリーでは、ユーザー間のトラブルが殺人事件にまで発展したり、文在寅に対する暗殺予告が頻繁に掲載されて警察が家宅捜索を行ったりするなど、事件や事故も相次いでいる。

また、韓国で悪名高いコミュニティとしてイルベが挙げられる。ここは、DCインサイドの「日刊ベスト貯蔵所」から派生したものだ。DCインサイドでは推薦数の多い書き込みが日刊ベスト掲示板に掲載されるのだが、問題のある書き込みは管理者が任意に削除することができる。これに不満を持つユーザーが、削除された書き込みを集めて作ったのが「日刊ベスト貯蔵所」で、11年には母体から独立した。

政治性向が極めて保守的なことで知られるこのコミュニティは、12年の大統領選で唯一、朴槿恵を支持した。記事に保守政権に好意的なレスをつける運動をするなど、ネット基盤の脆弱な彼女にとって頼もしい援軍となった。

ところが、その活動は過激化の一途をたどり、14年4月に発生した「セウォル号沈没事故」では、真相究明を求めてハンガーストライキを行っている遺族の前で真逆の「暴食闘争」なる活動を行って世の中の非難を浴びることになった。以後、イルベには「極右コミュニティ」という修飾語がつけられ、反社会的・反倫理的サイトという烙印を押されてしまった。

このコミュニティは女性や外国人、特定の地域に対するヘイトの書き込みや、わいせつ動画が掲載されることでも有名で、文在寅政権の初期には政界でサイトの閉鎖をめぐる攻防が起こったこともあった。18年8月、40代の男性が、社会問題化していた「高齢の売春婦」をモーテルに呼び込み、裸の写真を撮ってイルベに掲載する事件が発生し、再び指弾されるきっかけとなった。画像を投稿した男性はソウルの瑞草区庁の公務員であることが発覚し、その後、公務員を解雇され、刑事処罰まで受けたという。

今でも公務員である消防士に合格したり、大企業に採用されたりしたことを書き込んだら内定が撤回されたことがたびたび報じられる。さらに、有名芸能人や著名人がネット上で「イルベユーザーだ」などと指摘され、名誉毀損などの法的措置を示唆することも珍しくない。いまやこのコミュニティを利用していることは、一種の「緋文字」になっている。

世論を動かす６大勢力

ＤＣインサイドに次いでユーザー数が多いのは、FM Korea（別名ぺムコ、前出）で、90万人に迫る。サッカーのシミュレーションゲームであるフットボールマネージャー（Football Manager）の略で、08年10月にＤＣインサイドのスポーツゲーム関連ギャラリーから派生し、開設された。

ユーザーはサッカー好きの20代男性が最も多いが、現在は株式投資やコイン収集、ファッションからユーモア、政治など様々な掲示板が設けられて、あらゆる分野を網羅する。最も人気のある掲示板には常時8万~10万人が接続し、1投稿当たりのビュー数が約25万ビューに達するなど、大手新聞社のサイトを遥かに凌ぐ。代表的な「男性超過コミュニティ」（男性利用者が圧倒的に多い）であり、アンチ・フェミニズムと反文在寅政権の色合いが濃い。

これに次ぐ3位のPPOMPU（ポムプ）は、05年11月にショッピングモール情報共有サイトとしてスタート。現在はその性格はほぼ失われ、政治関連の掲示板が最も活発に利用される、特に親文在寅ユーザーが多いことで知られてきた。

ランキング4位の「RULIWEB（ルリウェブ）」は、00年の開設。ビデオゲームのホームページからスタートし、現在ではゲーム、アニメ、フィギュア、映画、電子機器などサブカルチャー中心の大規模コミュニティとして知られる。日本のサブカルのファンが集まっている一方、政治系の掲示板には親文在寅の傾向が強く、反日の投稿も多い。

17年の大統領選当時、文在寅が「ルリウェブ会員の皆様！　こんにちは。冥王文在寅です」というタイトルの映像とともに支持を訴える書き込みを掲載した。「冥王」とは日本の漫画『ワンピース』に登場する「シルバーズ・レイリー」というキャラクターの別名。当時、文の外見がそのキャラに似ていたことから、「冥王」とのニックネームで呼ばれており、それにあやかった投稿を行ったのだ。

5位の「ドク（theqoo）」は、大型コミュニティの中では珍しく、「女性超過コミュニティ」だ。03年から日本の芸能界やＪ‐ＰＯＰを扱う最大のコミュニティとしてスタートしたが、韓国でのＪ‐ＰＯＰ人気の衰退に伴い、12年からは韓国芸能界に対するテーマも扱うコミュニティに改編。サイト名は日本語の「オタク」から来ている。掲示板も細分化されていて、現在５００を超える。

最も人気のある掲示板の一つは、「Ｋドル・トーク」だ。Ｋ‐ＰＯＰアイドルの略称であり、ファンの聖地のように崇められている。人気のある投稿は数万回のビュー数を記録し、コメントも数百を数える。そのため、韓国の芸能関係者にとっては、必ず目を通さなければならないものとして認識されている。

ドクは他のコミュニティと異なり、かなり閉鎖的な運営がなされている。会員でなくとも投稿内容を読むことはできるが、書き込みをするためには登録が必須。しかも会員登録も容易ではない。ちなみに直近に新規会員を募集したのは20年5月。そのような希少性から会員ＩＤが中古取引サイトで売買されることもあり、13万（ウォン）という価格が付いたこともある。

大リーグに関心のある人たちが集まって作った小規模掲示板が、大きく発展した例もある。「MLB PARK（エムエルビーパーク）」と呼ばれるコミュニティが06年、東亜日報のサイト管理会社に買収されたのだ。掲示板の構成は単純で、「韓国野球」、「MLB」、「ブルペン」の3つだけ。このうち、ブルペンは自由掲示板の性格が強く、野球に限らず人気アイドルの話題から結婚生活の悩み、さらには政治問題、社会問題など、幅広い分野の投稿が見られる。ユーザーは20代から40代の男性が多く、選挙シーズンになると、政治の書き込みで埋め尽くされるほどだ。

もともとは親文在寅のユーザーが多く、12年の大統領選では文がこの掲示板を訪れ、「草野球界の4番打者、文在寅がご挨拶申し上げます」というメッセージを投稿したこともある。しかし、19年に起きた曺国(チョ・グク)ゲートの後、ユーザーの多くが反政権に転じ始めると、文を支持するユーザーたちが世論誘導を行うようになる。彼らは複数のＩＤを作って政権に好意的な書き込みを掲載し、お互いに推薦しあってベスト投稿に表示させる工作を行っていた。ところがこの企みは暴露され、文の支持勢力は掲示板から完全に放逐されることになる。

これらのコミュニティは、もちろん世間の耳目を集めている。19年10月には「週刊朝鮮」で巨大なポータルサイトと化したＤＣインサイドを除く６つのサイトが「韓国世論を動かす」と紹介された。政治の世界で一定の発言力をもつ勢力として認知され、コミュニティから始まった流行が社会現象にまでなるなど、その影響についてこれ以上、目を背（そむ）けることが難しくなったからだとその狙いについて説明している。

動員力の明と暗

日韓共同で開催されたＷ杯の熱気も冷めやらぬ02年６月、京畿道（キョンギド）のある小さな村で、帰宅途中だった２人の女子中学生が訓練中の米軍装甲車にひかれて死亡するという事故が発生した。２人の名前から「ヒョスン・ミソン事件」とも呼ばれる圧死事件である。

被害にあった２人の家族らは装甲車を運転していた米軍兵２人を過失致死の疑いで検察に刑事告訴。ところが米軍側は、ＳＯＦＡ（在韓米軍地位協定）を理由に、米軍の法廷で裁判を受ける権利を主張し、結局、同年11月に無罪判決が下された。判決後に２人の兵士は直ちに韓国を出国。事故発生当時、韓国ではＷ杯に大統領選まで重なり、この不幸な事故はマスコミや世間からそれほど注目されなかった。しかし、11月の無罪判決を機に非難の声が起こり始め、大規模なろうそく集会が度々開かれた。

圧死事件をめぐる最初の集会が呼びかけられたのはネットからだった。ネットメディア「オーマイニュース」の市民記者（専門記者ではない一般市民が記事を書く場合も多い）が〝「アンマ」というネットユーザーが集会の開催を提案した〟と報じたことがきっかけだった。ちなみに、「アンマ」は記事を書いた市民記者本人であることが後に発覚し、メディア側は謝罪に追い込まれた。

その後、ネット上では事故当時の2人の少女の悲惨な写真が出回り、テレビの報道なども相まって集会の参加者は増加の一途をたどった。SNSはまだ普及していなかったが、ブログやカフェなどが拡散の役割を果たした。オンラインゲーム・サイトでは2人の被害女子中学生を追悼するグッズが製作されるなど関連イベントまで行われ、10代の若者が集会に大挙して参加するきっかけとなった。

「在韓米軍の撤退」「ヤンキー・ゴー・ホーム」などのスローガンが飛び交う大規模な反米デモを受け、駐韓米国大使はブッシュ大統領の謝罪の意を伝えたが、一度火がついた反米感情は容易には鎮まらなかった。1カ月後に行われた大統領選で左派陣営の盧武鉉（ノ・ムヒョン）が当選する原因になったともいわれる。

08年にはいわゆる「狂牛病（ＢＳＥ＝牛海綿状脳症）ろうそく集会」が頻繁に開かれ、新たに誕生した李明博（イ・ミョンバク）政権を根底から揺さぶった。03年に発生した狂牛病騒動から米国産牛肉の輸入は禁止されていた。盧武鉉政権の後を継いで韓米ＦＴＡ交渉を続けていた李政権は米国側の「全面開放」の要望を受け入れ、それが韓国国民の抵抗を招いたのだ。

左派メディアは我先にと米国産牛肉の狂牛病のリスクをセンセーショナルに報道。ネット上では狂牛病に対する真偽不明の書き込みが溢れ、国民は恐怖におののいた。大統領府はブログを通じ、狂牛病に関する誤った情報を正そうとしたが、効果を上げることはできなかった。

この年の5月には、ネット上で会員15万人を集めて、「李明博弾劾のための汎国民運動本部（アンチ李明博）」が結成される。彼らはろうそく集会を提案し、ここに１７００余の市民社会団体が加わった「国民対策会議」が発足、１００日間の集会が開かれることになった。スローガンは最初から「政権退陣」であり、保守派マスコミへのテロやデモ隊の大統領府への進入を阻止すべく停車していたパトカーが鉄パイプで破壊されるなど、暴力的手段の行使もいとわなかった。結局、李明博政権はアメリカとの追加交渉を通じて輸入条件の一部を見直し、国民向けに謝罪文を発表。一方、次第に過激化していくデモ隊の行為も国民の共感を得ることができず、主催側は「生活の中の闘争」への転換を発表してデモを終了した。

そして何度目かの登場になるが、17年の朴槿恵弾劾事件は、ろうそく集会の力を全世界に知らしめた。16年10月、朴槿恵大統領の友人である崔順実（チェ・スンシル）が民間人の身分で国政に深く介入した「崔順実ゲート」が報じられると、弾劾を叫ぶ集会が数カ月にわたり続いた。

16年10月29日に2万人規模で始まったものが第2回20万人、第3回１００万人、第4回96万人、第5回１９０万人、第6回２３２万人と増加し、憲法裁判所で17年3月10日に弾劾が勧告されるまでの累積参加者数は１６００万人を突破。広場に響いた掛け声が、憲政史上初となる現職大統領の罷免を成し遂げ、文在寅政権を誕生させたことになる。

このときの集会でも参加者をつないだのはネットだ。「朴槿恵政権退陣汎国民行動」という連合体が結成され、ホームページとFacebookで参加を呼び掛けた。全国で開かれる集会の位置と時間などを知らせるサイトが作られたり、国会での弾劾訴追決議に賛成するよう議員に圧力をかけるため、プロフィール情報と連絡先が掲載されたりした。

国民の積極的な意思表示が政治に反映されるという意味で、ろうそく集会は代議制民主主義を補完する直接民主主義の一形態として社会に定着した。しかし、扇動に弱く、偽の情報を見分けることが難しいネットによる政治参加は、社会に少なからぬ後遺症も残した。

例えばソウル中央地検が09年に発行した「米国産牛肉輸入に反対する暴力デモ事件・捜査白書」によると、このデモで1476人が不法行為などで立件され、43人が起訴。さらに08年の米国産牛肉の輸入反対デモによる社会経済損失は3兆7500億ウォンに達すると試算された。

『鬼滅の刃』を巡って大きく分かれた評価

21年に上映された日本のアニメ『劇場版鬼滅の刃～無限列車編』は韓国でも予想外の人気を集めた。21年1月27日から8月31日まで上映され、累計215万人の観客を動員、この年の興行収入第7位となった。公開前には、文在寅政権下で激しい反日感情が蔓延していたこともあり、興行的に成功すると予想する人は皆無だった。さらにネット上では、主人公の竈門炭治郎がつけている耳飾りが旭日旗を彷彿させるデザインで、「日本帝国主義を肯定するものだ」という論争が勃発。これがメディアで報道され、映画に対する否定的なイメージを強めた。

このような現象に鑑み、配給会社はマスコミへの露出を最大限避け、アニメーションを好むターゲット層だけに合わせたネット広報戦略に重点を置いた。大手メディアに報道資料を送らず、公式ブログやInstagram、Facebookなどをメインとする作戦である。中でも観客が自発的にアップする感想や評価、関連グッズの画像などは、若者たちの観賞意欲を刺激した。2大ポータルサイトのネイバーとダウムでも、数多くの評価が掲載された。

映画上映中の21年3月、ネイバーでは観客の評価が10点満点中9・63点。計9400に及ぶ感想の中には、「最後の戦闘シーンは歴代アニメーションの中でも最高だったんじゃないだろうか」「見なければ後悔します」「すべてが完璧だった映画」「40代のおじさんがワーワーと泣いてしまった」など好意的なものが占めている。

一方のダウムでは、評価が6・0点。計500余のコメントも、「お願いだから日本の作家たちは戦犯を美化したり自殺テロ・カミカゼを美化したりするのをやめろ」「戦犯の旭日旗を使用したのは最悪で許せない」「ゴミ映画、ネールベ（保守性向のネイバーサイトをイルべだとからかう言葉）のやつらだけが10点を与える映画」「独立運動はできなかったものの不買運動はしよう」「この土着倭寇（親日韓国人を貶すスラング）と売国奴め！」などと、口を極めて罵るような内容になっている。

この相反する反応は、それぞれの利用者が異なる政治的イデオロギーを持っていることによると思われる。リアルメーター社が20年1月に実施した利用度調査によると、韓国人が主に利用するサイトはネイバーが41・6％で最も高く、ダウムが22・8％だった。ネイバーニュースは全ての地域、年齢、性、職業で1位を占めたが、特に20代男性と学生では60％を超えた。反面、ダウムはほとんどの階層でネイバーに次いで2位だったが、進歩層と文在寅支持層はダウムを顕著に利用する傾向があることが分かった。

ネイバーとダウムのユーザーらの違いは、ビッグデータを基盤にした調査でも同様だった。21年2月、地上波放送局ＳＢＳがネイバーとダウムに掲載された政治記事を対象に、過去2年間で書き込まれた６７９０万のコメントを分析した。これによると、ネイバーの場合、文政権と共に民主党に好意的なレスが41・1％で、批判的なレスは58・9％にのぼり、保守性向が強いことが分かった。一方、ダウムは文政権と共に民主党に好意的な進歩系のレスが72・1％と圧倒的だった。実際、同じ事柄を報じた記事に対しても、ネイバーとダウムのユーザーの反応は真逆になることが少なくない。

そしてこの進歩的な考え方は、日本に対する否定的な感情に結び付きやすい。それは進歩系の政治家が、保守政治家を攻撃する手段として「反日感情」を好んで使ってきたからに他ならない。実際、19年の日本政府による「半導体部品に対する対韓国輸出制限」に端を発した反日不買運動も、日本との関係改善を促す保守政治家を親日派と罵倒することで、文在寅政権に有利な世論が形成されていった。当時、日本製品不買運動の前線基地として活躍し、反日世論を主導したのも、「親文コミュニティ」だったのだ。

反日不買の震源地とは？

文政権が誕生してから、慰安婦や竹島（韓国名・独島（ドクト））問題だけでなく、徴用工への賠償、旭日旗など新たな懸案が次々と浮上し、日韓関係は悪化の一途を辿った。さらに、19年7月1日、新たに半導体の核となる素材3種について日本政府が韓国への輸出規制強化案を公表し、反日感情は極限に達する。

日本が輸出規制の措置をとった直後、文在寅は公式見解を示すことはなかったが、メディアは、「安倍政権が韓国の急所を狙った」と書き立てた。一部の有識者はメディアに出演し、「政府が具体的な動きに乗り出すと、日本がさらに態度を硬直化させる恐れがある。そのため政府ではなく市民団体が中心になって不買運動をすべきだ」と主張し、国民が自発的に反日不買運動をすべきだという機運が高まったのだ。７月３日、代表的な親文コミュニティであるクリアンでは、「私から始めます」というテキストと共に、「ＮＯ！　ボイコットジャパン」のロゴデザインがアップされた。グラフィックデザイナーを自称する作者によるこのロゴは、オンラインかオフラインかを問わず使用され、反日不買を拡散する重要な役割を担った。

さらにその直後には、不買運動のサイト「No No Japan」を作ったというユーザーの書き込みがクリアン上になされた。不買対象となる日本製品リストと、代替できる韓国製品の情報を紹介しているものだ。クリアンに投稿されたサイトリンクは瞬く間に広がり、反日不買をいやが上にも加速させた。全国的な流行をみせ、運動が２年以上も続いたのはご存じの通りだ。

これまでにも日本との間で領土や歴史問題が持ち上がる度に、韓国では反日不買運動が起きたが、それまでの運動は長続きせず、効果も不十分だった。しかし、19年の不買がそれまでの運動と違ったのは、コミュニティやＳＮＳが積極的に利用され、威力を発揮したということだ。ユニクロやトヨタ自動車など、日本メーカーの韓国市場での業績は大きな打撃を受けた。

反日不買の震源地になったクリアンは、当初ソニーの携帯情報端末「クリエ（CLIE）」のファンコミュニティとして出発したものだ。会員の多くが共に民主党の権利党員である代表的な親文在寅サイトで、政治関連の書き込みも多い。文在寅をはじめ、多数の共に民主党議員が選挙シーズンになると、支持を訴える書き込みをするほどだ。ここだけでなく、主婦らのコミュニティ「ママカフェ」や、親文傾向の強い自動車関連コミュニティ「ポベドリーム」なども、不買への参加を求める世論を作り出すのに一役買った。

だが、これらの場では日本製品を使う自国民を蔑視する書き込みが過熱し、多くの批判も受けた。20年11月にポベドリームに登場した、ユニクロの売り場から出てくる韓国人の写真を撮ってネットに掲載する「ユニクロ自警団」がその一例だ。

売り場の前に並んだ韓国人の写真と共に「こんな犬豚と同じ町に住むなんて」と批判する書き込みがアップされた。同サイトでは21年にも、道路に違法駐車されたレクサスに赤いペンキで落書きした写真が掲載された。器物損壊罪に当たる犯罪にもかかわらず、1600余の推薦を受けて「ベスト掲示物」になった。コメント欄には「恥をかかされても当然だ」「私も日本車は無条件申告する」など肯定的な書き込みが並んでいた。

　コミュニティでは少数意見は批判にさらされ抹殺されてしまうことも多い。多数派と相反する意見を繰り返し書き込むと、集団で〝Bad〟という評価をつけられその他もろもろの書き込みに埋没することになったり、場合によっては「活動中止」のペナルティーを受けたりするケースまである。ユーザーそれぞれが自由に意見を書き込んでいるように見えて、実際は、多数派の好みに合った書き込みだけが上位に位置し注目を集めるように仕組まれたカラクリなのだ。コミュニティ世論はある勢力が意図した方向に導かれ、ユーザーは知らないうちにそれに同調することになる。

　京畿道盆唐（キョンギド・ブンダン）に居住しながらソウル近郊の４年制大学で実用デザインを勉強しているチヨ・ミンジ（22）は、未だに反日不買運動に参加している。ミンジは叔母といとこたちが東京に住んでいるおかげで、日本旅行にもよく行った。叔母からもらった日本製の色鉛筆や絵の具などの画材も愛用していた。ところが、19年のあの時からそれらは国産製品に買い替え、服や所持品もなるべく日本製品を買わないようにしているという。ミンジの大学の友達でいまだに不買に参加している友達はほとんどいないが、ミンジは続けるつもりである。

「日本製品を使うのはちょっと気に障ります。よく利用するコミュニティで上がってくる日本関連のニュースを見ると、日本は反省するどころか未だに韓国を見下しているようで腹が立ちます」

ミンジがよく接続するのは、ドクやDCインサイド、ネイトパンなどで、そもそもの目的はK‐POP関連のコンテンツに目を通すためだった。

「中学生の時からINFINITEの大ファンで、今もいろんなアイドルが好きです。コミュニティでファンの書き込みを読むと、共感できるし良い情報もたくさん得られる。だから、時間さえあればアクセスするんです。先日は『釜山に日本式の温泉旅館ができた』というニュースが掲載されましたが、そんなところに行く人たちを非難するコメントが多く寄せられました。私も同意見です。独島や福島第一原発汚染水問題など、迷惑ばかりかけている日本の文化が好きな人たちが理解できません」――。コミュニティ世論の偏狭ぶりが窺えるコメントだ。

ネット上はいつもどこかで不買運動中

19年の反日不買に限らず、韓国のネットは常に〝不買〟であふれている。21年3月には、韓流ドラマが歴史を歪曲しているとしてユーザーらの不興を買い、ドラマが打ち切られる事態となった。

地上波放送局SBSの『朝鮮退魔師』は、朝鮮王朝時代初期を舞台にしたファンタジー時代劇だ。朝鮮の第3代王の太宗（テジョン）、太宗の長男の譲寧大君（ヤンニョンデグン）、後に第4代世宗大王（セジョンデワン）になる忠寧大君（チュンニョンデグン）という歴史上の人物と悪霊との決闘を描く作品だ。

このドラマで、朝鮮の王子が西域から来た外国人の司祭をもてなした料理が中国式だったことが問題になり、歴史歪曲論議が起こった。「ドク」などのドラマ関連のコミュニティでは、これに莫大な中国資本が投入されていることをあげつらい、中国の東北工程（韓国の歴史と文化を中国の文化に組み入れようとする主張）を広報する作品と烙印を押して打ち切り運動に乗り出した。

彼らは、ドラマのスポンサーに対し広告撤回を求めるメッセージを送ったり、電話をかけたりする一方、放送中止を求めるクレームで局の掲示板を埋め尽くした。消費者のクレームに敏感な企業がスポンサーから次々と降板し、ドラマはたった2話で打ち切られた。最近の韓国では、20～30代の若者層を中心に反中感情が危険水域に達しており、その空気感がドラマへの反感に結び付いたのだ。

経済専門誌「毎経エコノミー」が21年5月に調査した「反中感情に対するアンケート調査」によると、回答者の86％が「最近、反中感情が大きくなっている」と答えた。その理由としては、東北工程が76％で1位、続いて微細粉塵や黄砂などの大気汚染影響が60％、中国発新型コロナが46％、韓国技術の奪取を狙う中国企業の存在が23％だった。

一方、21年5月にはこんな不買運動も起きた。韓国産コンビニチェーンのGSリテールが「男性嫌悪」論争に巻き込まれたのだ。「キャンプに行こう」というイベントのポスターが、FM Koreaでやり玉に挙げられたのがきっかけだった。

ビジュアルは熱いソーセージを親指と人差し指でつかむイラストで、ラジカル・フェミニストの集う「メガリア」では、韓国男性の性器が小さいという意味で使うネットミームと似ていると指摘されたのだ。

FM KoreaやMLB PARK、RULIWEB、そしてPPOMPUなどの男性超過コミュニティからは、不買を呼び掛ける声が次々に上がった。コンビニの主な顧客層である若い男性たちの抗議は効果てきめんで、会社側は謝罪に追い込まれ、当該ポスターを撤去するだけにとどまらず、デザイナーは懲戒を受け、社長は辞任した。

22年1月には韓国ナンバー2の流通チェーンである新世界グループが不買運動の対象

となった。サムスン電子の李在鎔（イ・ジェヨン）副会長のいとこであり、インフルエンサーである新世界グループの鄭溶鎮（チョン・ヨンジン）副会長は、普段から、保守的な政治傾向を隠さない人物だ。鄭副会長は、自分のInstagramに二日酔いの酔い止め薬の写真と共に、「最後まで生き残る」という書き込みと、「#滅共」というハッシュタグをつけた。

　これが〝暴力を扇動する表現〟としてInstagram側に削除されたのが事の発端だった。鄭副会長はこれに強く抗議。同事件がメディアに報道されると、Instagram側は、「システムミス」として鄭副会長の書き込みを復元させた。ところが、クリアンなど親文性向のコミュニティで、「親中政策を展開する現政権（文在寅）を狙った書き込み」「共に民主党を攻撃するために書いたもの」という解釈が展開されるに至る。親文コミュニティを中心に、新世界グループが韓国事業権を持つスターバックスや新世界百貨店、Eマートなどに対する不買運動が始まったのだ。彼らは、鄭副会長のことも露骨に非難したが、彼はこれに屈せず、「#滅共」というハッシュタグをつけた投稿を続けた。

　2カ月後に大統領選の投票を控え、保守層の結集を狙った保守政治家もこれに便乗。結局、オーナーリスクを懸念した株式市場で新世界の株が下落し、Eマートの労組が「会社のイメージを損なう鄭副会長の言動に深い懸念を表す」という声明を発表したことで、彼は「私の発言で傷ついた方がいるとしたら、全面的に私の過ちである」とし、「#滅共」キャンペーンの中断を宣言した。

個人が大企業の意思決定を左右するほどの力を行使できるようになったと言うと大仰だろうか。

「東京五輪3冠女王」に向けられた20代男たちのアンチ・フェミニズム

ソウルにある4年制大学を卒業後、3年間にわたって公務員試験を受け続けているパク・ヒョンス（26）は、ポータルサイトはほとんど訪問しないものの、DCインサイド内のコミュニティには毎日アクセスするという。

「そこにもニュースが掲載されているため、他のサイトを見回る必要がないんです。ユーザーが必要そうなニュースを選別し、そのエッセンスを取り出して掲載してくれるし、ニュース全文へもリンクが張り付けられているので、むしろ可読性はコミュニティの方が良い。ニュースへのレスを読んでみると、社会問題に対する同年代の意見も知ることができますしね」

ヒョンスがよくアクセスするのはゲーム関連のコミュニティだが、話題はそれに関するものだけではない。近年、最も熱い議論が交わされているのは、イデナム（20代男性の意）に対する逆差別だという。

「韓国ではいつも男性が損をする。今のように就職が難しい社会状況でも、女性は〝女性割り当て制〟が適用され、就職でも男性より有利になる。例えば、文在寅政権では警察官の採用時に女性志望者に体力試験の点数を加算するという方針が採られました。これにより女性の割合は30％まで上昇しましたが、結局、現場で命をかけて犯人を捕まえるのは基本的に男性警察官です。これは他の公務員でも同様。５８６世代（80年代の民主化運動を経験した50代で、既得権益世代という意味）のおじさんたちも、雑用は男がすべきだと言って、若手男性職員ばかりをこき使うといいます」

20代の男性を指すイデナム世代は、フェミニズムに対して最も敵対的な感情を抱いている。彼らが多いコミュニティでは、よくフェミニズムに関する記事へのリンクとともに「火力要請」という書き込みが掲載される。リンクを踏んでニュースサイトにアクセスし、フェミニズムに関する記事に集団的に書き込みをし、評価をつけ、自分たちの思い通りの世論を形成しようと企図してのことだ。

もっとも、この現象は女性超過コミュニティでも同様だという。イデナムが火力要請に呼応してフェミニズム関連の記事のコメント欄を乗っ取ると、「この記事のコメント欄がイデナムに占領されている。早く行ってコメントつけて！」などの書き込みが掲載される。そうすると女性超過コミュニティのユーザーが殺到し、コメント欄では男女間で壮絶な撃ち合いが始まるのだ。

21年7月、東京五輪の女子アーチェリーで3冠に輝いた安山（アン・サン）選手をめぐるフェミニズム論争がまさにその典型例だった。安選手が2個の金メダルを獲得しメディアの注目を集めると、複数の男性超過コミュニティで安山選手がフェミニストであるという疑惑が持ち上がった。彼らは、安選手がショートカットのヘアスタイル、女子大学出身、過去のInstagramで男性嫌悪（と推定される）ネット流行語を使ったという点などを挙げて、安選手を「フェミニスト」と攻撃したのだ。

「女子大にショートカット、（フェミニストで）決まりだね」

「過去の文章を見ると、（フェミニストという証拠が）1つ2つじゃなかった」

「フェミは黙って叩け」

「フェミは精神病だ」

「金メダルを返せ」

彼らのうちの一部が、安選手のInstagramなどに悪質な書き込みをしたり、アーチェリー協会のホームページに安選手のスポーツ年金を剝奪してほしいと綴ったりするに至り、女性超過コミュニティが反撃に乗り出すことになった。彼らは「国の代表選手を狙ったテロ攻撃から安選手を保護してほしい」というポスターを作成し、掲示板に掲載し、拡散。騒ぎが大きくなると、レガシー・メディアがこの論争に参戦。安選手を攻撃した一部の男性はむしろ国民的な非難に直面した。

若い男性たちのフェミニズムに対する嫌悪感はエスカレートする一方だった。有名人をフェミニストと疑い、無差別に攻撃を加えたりすることに繫がり、男性嫌悪を表すネットの流行語を知らずに使って謝罪に追い込まれるアイドルや女性芸能人も後を絶たない。さらに22年2月には、フェミニストと誤解された「BJジャムミ」という女性YouTuberが悪質な書き込みのため自殺する事件にまで広がった。

若い男性たちがこういった運動に熱狂する原因には、特有の事情がある。韓国では長らく「男尊女卑」の儒教的教えが強かったが、そのような中で突如ラディカル・フェミニズムの概念が登場し、フェミニズム運動が活発に行われるようになったのだ。

そのきっかけとされるのが、16年に発生した江南駅殺人事件だ。精神病を患っていた

30代の男性が江南駅周辺の公衆トイレで見知らぬ女子大生を殺害したもので、犯人は「普段から女性たちに無視されていたため、我慢できず犯行に及んだ」と自白した。この事件について、多くの社会学者と女性運動家が「女性嫌悪犯罪」と規定し、女性たちは社会に深刻な女性嫌悪文化が存在すると口々に批判した。

このような声は次第に大きくなり、それまで少数の運動家だけが提唱していたラディカル・フェミニズムが実際の社会に噴き出したのだ。江南駅殺人事件では、「メガリア」というフェミニストコミュニティの主導のもと、「女だから死んだ」というスローガンを掲げたデモが江南駅などで長期間続けられた。このデモでは、当時野党の代表だった文在寅をはじめとする左派政治家たちが大挙して現場に駆けつけるなど、女性の人権に対する世論が大きく喚起されることになった。

事件の1年後に大統領となった文在寅がフェミニスト政権を自任したのは自然な流れだった。ちょうど世界中で #MeToo 運動が流行し、韓国でも政治、文化といった様々なシーンで運動が爆発的に展開された時期だ。フェミニズムは時代を映す鏡として大きな影響力をもったが、一方でこのような潮流に乗ることができなかった一部の男性の間には、アンチ・フェミニズムの感情が日に日に高まっていった。

特に、就職試験などで女性たちとの差を感じることが多い20代男性のうち25・9%がフェミニズムに対して極端な拒否感を持っているという調査結果があり、文政権に対する20代男性の支持率が特に低かったのはこのためだという分析もある。

実際、国民の力から出馬した尹錫悦(ユン・ソクヨル)は、「女性家族部の廃止」を公約に掲げてから20代男性の圧倒的な支持を引き出し、支持率が急上昇するきっかけを作ったのは既に述べた通りだ。背景にあったのは、女性の権利保護のために作られた女性家族部が本来の役割を果たしておらず、むしろ国民の税金でラディカル・フェミニストを支援する政策を展開することになっているという、イデナムの主張だ。

「女性家族部は、朴元淳(パク・ウォンスン)ソウル市長にセクハラを受けた女性秘書や尹錫悦候補の夫人金建希(キム・ゴンヒ)が左派から低俗な誹謗中傷攻撃を受けた時も、口を閉ざして何の見解も示さなかった。それに尹美香(ユン・ミヒャン)の横領疑惑で国民の怒りを買った『正義記憶連帯』に対しても、未だに税金を投入して支援をし続けている。だからこそ私は、『女性』ではなく『女性運動家』のために存在する女性家族部を廃止するという尹錫悦の意見に強く賛成するんです。5年前の大統領選では文在寅に投票しましたが、今度は絶対に尹に投票する」
(前出のパク・ヒョンス)

文在寅政権のフェミニズム政策に対するイデナムたちの怒りは、これまで「一握りしかないネット世論」と過小評価されてきたが、実際に大統領選の勝敗を左右するほどのうねりを生み出したのである。

暴露書き込みのラッシュでリアル社会を翻弄

ＩＴ大国の韓国は、これまでレガシー・メディアが担ってきた「社会の監視役」としての役割をニューメディアが代替し始めているといわれる。ただし二重三重に検証されてから報道されるものと違って、コミュニティには一方的な主張が溢れ、ユーザーの反応次第で社会を騒がせる大問題へと発展することもしばしばだ。この傾向は、有名人が関わっている場合にさらに顕著になる。ちょうど日本でも「ガーシーｃｈ」に代表される暴露系YouTubeが注目を浴びているが、韓国での事態はより深刻に映る。

21年、社会を揺るがした学暴MeToo事件の震源地は、「ネイトパン」というコミュニティだった。これは06年に開設され、ポータルサイトが運営している。約50のカテゴリに分けられ、ニュース、スポーツ、芸能関連などがメインだ。利用者は20代と30代の女性が圧倒的に多い「女性超過」タイプで、書き込みは友人にも言えないような身上相談が多い。

事の発端は21年2月14日、ここで「現役バレーボール選手らの学暴被害者です」と暴露があったことだ。内容は10年ほど前、小・中学生時代にチームメートにいじめられていたが、その加害者たちは今や有名な女子バレーボール選手になっているというものだった。暴露した人物は、加害者の名前を書きこむことはしなかったが、誰なのかが特定できる〝手がかり〟を提供し、ユーザーらはそれが韓国女子バレーボール界の看板スターであるイ・ジェヨン、ダヨンの双子の姉妹であることを突き止めた。

その後、この暴露書き込みはメディアを通じて報道され、社会的に波紋を呼ぶ。姉妹は韓国代表資格を剝奪され、チームからも追放。選手生命の危機に直面した。さらにこの事件を皮切りに、スポーツ界のスターから過去にいじめや暴力を受けたという〝被害者〟がネイトパンを窓口に相次いで暴露を行うこととなった。メディアによって「学暴MeToo」と名づけられた同種の事件は燎原の火のごとく芸能界にまで広がって、巨額の訴訟合戦まで繰り広げられるに至った。

20年の釜山国際映画祭で「年間最優秀俳優賞」を受賞するなど、スター街道まっしぐらだった俳優のジス（29）も、中学校時代の同級生から「バスの後部座席で前に座る生徒にＢＢ弾を浴びせながら笑っていた」「気分が悪いという理由だけで頬を打たれた」などの告発を受け、主演ドラマを降板、軍隊に自ら入隊するという理由で芸能界も事実上引退してしまった。

これによりジスが主演を務めたドラマの制作会社は、所属会社を相手取り30億ウォンの損害賠償請求訴訟を起こし、現在も係争中だ。ほかにも、日本でも人気の高いアイドルグループのメンバーから韓流俳優まで、20代の芸能人を対象にした暴露合戦が相次ぎ、「学暴 MeToo 芸能人リスト」という文書まで広まったほどだ。

ネイトパンから始まった一連の事件は〝無限競争〟といわれるエリート教育の問題点などをあぶりだしたが、他方で匿名で一方的になされる主張により、有名人が濡れ衣を着せられるケースも多かった。高校時代、同じ学校の同級生を拉致・監禁し、さらに暴行を加えたという告発によって現役引退を余儀なくされた男子バレーボール選手について、時間が経ってから暴露した当事者が嘘をついていたことを告白した。「学暴MeToo」の予想だにしない結末に社会は大きな衝撃を受けたのだった。

Netflixの『海街チャチャチャ』で日本のファンの間でも人気が急上昇している俳優キム・ソンホも、ネイトパン上の暴露で崖っぷちまで追い込まれた。ドラマは、美しい海村を背景に女性歯科医と村の若者の甘いロマンスを描いた正統派のラブコメで、キム・ソンホは美しい見た目と優しい心を持つミステリアスな美男子を演じ、女性ファンのハートをとらえた。

ところが、ドラマの放映直後、ネイトパンに「韓流スターKに中絶を強要された」という書き込みが掲載。Kの元カノを名乗るAが「妊娠すると、あの手この手で中絶を勧められ、あげく電話で別れを告げられて捨てられた」と主張したのだ。このケースでも、掲示板にKの名前は書かれていなかったが、ネットユーザーたちはそれがキム・ソンホであることを突き止めた。

当初、レガシー・メディアは沈黙を続ける所属事務所に配慮したのか、Kの実名には言及しなかったが、芸能メディアで記者をしていたYouTuberが「Kはキム・ソンホだ」と報じたことをきっかけに、実名報道が溢れかえるようになる。

彼自身も告発の３日後に初めて口を開き、「女性を傷つけた。深く謝罪したい」と、Aとファンに謝罪の意を伝えたが、時すでに遅し。彼がモデルとして起用されていた10社もの広告は掲載や放送が中止され、出演予定だった広告も相次いで契約が取り消された。

ところが、わずか数日後、大きな反転が起きる。コミュニティ「MLB PARK」で、Aの親戚を名乗るユーザーが、彼女の身元を暴露したのだ。その後、「Aが気象キャスター出身の離婚した女性」「Aの男性遍歴が原因で離婚された」など、Aを巡る書き込みが続出。そして、芸能専門メディアがAの実名とともに、「むしろ彼女がキム・ソンホを騙し、モラハラを行った」という友人らのインタビューを紹介し、形勢は完全に逆転した。

結局、Aは自分が運営していたネットショップを閉鎖し、姿を消した。中断されていたキム・ソンホのCMは再開されることとなった。

事実確認を伴わずに匿名の暴露が相次ぐ事態は、「行き過ぎたネット社会」の暗い断面を雄弁に物語っている。

第5章　IT化でディストピアに片足を突っ込んだ

オスカー映画冒頭の「電波を探す」シーン

社会の格差問題を描いたポン・ジュノ監督の映画『パラサイト～半地下の家族』は、主人公の兄妹がスマホをWi-Fiにつなげるために、家の隅々を歩き回って電波を探す場面から始まる。データ利用が無制限となる料金は月に8万～10万ウォンと高額で、ろくに仕事もしていない2人には到底手の届かないものだった。超高速ネット通信を家庭に引こうと思えばさらに月に2万ウォンを支払わなければならない。だから彼らは格安料金プランでスマホを契約し、上階や隣人の契約したWi-Fiを無料で使おうとしているのだ。これはもちろん映画の中での話だが、実際に結構いるものと思われる。

韓国に限ったことではないが、スマホをはじめとするIT機器は生きるうえでなくてはならない必需品となり、その結果、韓国の1世帯当たりの通信費は月に13万4000ウォンにものぼる。このように家計を圧迫する通信費問題は、コロナ禍でも様々な問題を引き起こした。

K防疫と呼ばれた韓国政府のコロナ対策の一環として、すでに2年以上も続けられているリモート授業もその一例だ。高い通信費やパソコン購入費がハードルとなり、低所得層の子供が教育を満足に受けられないという指摘は絶えることがない。ITに依存した教育システムが高所得者と低所得者との教育格差をさらに広げているのだ。

小学校2年生になったミンジュン（仮名）は、友達のジウォン（仮名）がリモート授業にめったに出席していないので心配だ。ミンジュンの母親は次のように説明する。

「ジウォンの家は、トラック運転手のお父さんが出勤してしまうとリモート授業のための設定や指導をする大人がいなくなり、授業に出席できなくなると聞きました。9歳の子供が自宅で1人リモート授業を受けるのは容易ではないでしょう。コロナ禍では、ネット環境が良くなかったり、周りにパソコンがわかる大人がいなかったりなどの理由で授業に出席できない例がよくあるんです。

韓国教育部では、申請があれば生徒に授業用のノートパソコンをレンタルするとしていますが、貧困家庭が多い地域ではパソコンの数が不足して借りられない生徒も多いと聞きました。うちも子供が2人で、教育部に1台申請したのですが、結局、間に合わず、新しく購入するしかなかった」

ジウォンのように、学校の授業すら参加できない生徒がいる一方、リモートの盲点を利用し、学校以外の教育を推進しようとする家庭も増えている。

「リモート授業が始まったばかりのころは、授業時間に出席できなくても、後で授業を受けたという接続記録さえあれば『出席』としてカウントされるという方式でした。そのため、保護者が代わりに授業に出席し、その間、子供たちには塾に通わせるという不正行為も横行しました。小学校５年生の長男の友達はこうやって一日８時間も塾の授業を受けたそうです。

リモートによって学校の授業すら受けられない子供がいる一方、リモートのおかげでたっぷり塾に通える子供もいる。ママたちの間で、小学校５～６年生の学習内容が将来の大学を決めるという話が定説になっているくらいですから、その将来が不安です」

韓国統計庁が発表した「２０２１年社会動向統計」では、リモート授業の問題点に関するこんな数字もある。

例えば、「リモート授業で理解できない内容があってもそのまま授業を受け続ける」と答えた生徒の割合は、家庭の経済力が低いほど高い傾向にあることがわかった。特に中学生の場合、経済状況が「下」の集団は25・3％がそう答えており、「上」（8・5％）や「中」（9・8％）に比べて2倍以上も多い。また、「パソコン機器の性能の低さが授業の障害になっている」と答えた割合は、「下」の集団（小学生：28・9％、中学生：33・0％、高校生：27・1％）がいずれも「上」や「中」よりも2倍以上高かった。金持ちほど性能が良いパソコンを使用し、スムーズにリモート授業を受けられていたことがわかる。

政府は、21年12月13日から「ワクチンパス」（ワクチン接種を証明するQRコード）を導入した。接種完了を証明しなければ、多くの人が集まる施設に入場できないようにする制度だ。食堂、居酒屋、カフェ、スポーツジム、映画館、銭湯、カラオケ、図書館、塾、デパート、ショッピングセンターなどなど、ほぼすべての公共施設に適用されてきた。22年1月に違憲判決を受けて一部の施設でワクチンパスが不要となったものの、基本的にはワクチンパスが徹底的に守られていた。

ソウル鍾路区（チョンノグ）に住むキム・ヨンギュ（82）は、新型コロナ以降、ほとんど外出していない。ワクチンパスが導入されてからは、月に1度の高校の同窓生らとの食事会もキャンセルされた。

「高校時代の友達に会っておいしいものを食べながら思い出話をするのは大きな楽しみ

だった。なのにこんなご時世で、食堂にも思い通りに行けなくなってしまいました。食堂では、QRコードを見せて『ワクチンパス』を証明しなければならないのに、スマホがうまく使えない。それで従業員から入場を拒否されたことも何度もありますよ。どこに行ってもQRコードを見せなければならないのに、その見せ方を何度習ってもすぐ忘れてしまう」

一連の手続きは、スマホに不慣れな高齢者には大変な苦行となる。

「息子が私のQRコードを作ってくれたんですが、毎回操作をするたびに冷や汗が出る。ある時はスマホに『もう一度本人認証を行ってください』とか『パスワードが間違っています』というメッセージが表示されたりする。食堂の従業員が操作を手伝ってくれることもありますが、混んでいる時間帯は私の後ろに長い列ができてしまい、冷や汗が止まらなくなります。年寄りが無駄に歩き回っては迷惑ではないかと思い、同級生との食事会は当分やめることにしました」(その後、ワクチンパスは22年3月1日をもって中断されている)

科学技術情報通信部が発表した「2020デジタル情報格差実態調査」を見ると、一般のデジタル情報化水準を100とした場合、50代以上の高齢層や、低所得層、障害者、農業・漁業従事者などいわゆる〝デジタル弱者〟と言われる階層の情報化水準は72・7%だった。デジタル機器の普及率を意味する「アクセス水準」は93・7%で一般の層とほぼ同じだったが、パソコン、スマホなどデジタル機器の利用能力は60・3%で大きな差があることがわかる。

文政権が任期中の最大の功績と自任する「K防疫」は、IT強国としての社会環境があったからこそ成立したものだった。しかし一方で、デジタル弱者が防疫や福祉の死角に追い込まれてしまったのだ。

コロナが深刻化させた「社会の慢性病」

新型コロナは社会の慢性病ともいえる「格差問題」をさらに深刻化させている。皮肉なことに、韓国が誇るIT技術の発達もその一因となっている。コロナによって町中に急増したキオスク（タッチスクリーン方式の無人端末機）は、デジタル弱者が日常生活で直面する最も大きな難関だ。

ソウルに住むカン・ジョング（78）も、この無人端末機のせいで生活が不便になったと感じている。特に大変だったのは、8歳の孫との一件だ。

「共働きの娘夫婦に頼まれて動物園に行ったんです。ところが地下鉄に乗るところから試練の連続。孫のために子ども用の切符を買わなければならなかったのですが、駅をどんなに探しても窓口はもちろん駅員が一人も見つからない。タッチパネルの無人端末機で切符を買うしかなかったところ、ボタンが次々に表示されて、おどおどと迷っているうちに『時間が超過しました』というアナウンスとともに画面が最初に戻ってしまう」

カンは通りがかった若者に頼んでやっと切符を買うことができたが、受難は目的地に到着してからも続いたという。

「孫がハンバーガーを食べたいと言うので、近くのマクドナルドに入ったところ、そこでも注文を受けているのは店員さんではなく機械。しかも地下鉄の切符を買う時よりもずっと複雑で、うんうんと苦しんでいると、後ろの若い娘に舌打ちまでされてしまった。どうにかしてやっと注文できたと思ったら、出てきたのは思っていたものと全く違うメニュー。孫に〝こんなんじゃない〟と文句を言われてしまいましたが、到底注文し直す気にはならなくて、黙って食べろと怒鳴りつけてしまった。せっかくのお出かけなのに、孫を泣かせてしまいました」

カンは「急激に変わっていく社会の中で自分は置いてきぼりになってしまった」と嘆

く。

「私は電気技術師の資格も持っていて、若いころは中東に行って働いた経験もある。あのころは私も怖いもの知らずで、言葉も通じない中東で休日のたびにあっちこっちを歩き回ったのに……、今や生まれ育った韓国に住んでいながら、一歩家の外に出るのが怖い。最近はどこに行っても機械、機械。私のような老人は外で飯を食べることすら簡単じゃない。どんどん自分がバカになってるみたい」

ＡＩ時代の到来とともに最低賃金が急激に上昇した韓国では、人件費の削減を理由に「無人店舗」や「無人販売機」がハイペースで普及していった。さらにコロナによる非対面・非接触の新生活様式がその流れに拍車をかけた。キオスク導入に最も積極的なファストフード業界の場合、ビッグ3とよばれるロッテリア、マクドナルド、バーガーキングの導入率は70～90％に達する。設置店では、キオスクを使った注文が80％にもなり、店員とのやり取りはほとんどなくなってしまった。

大型ディスカウントスーパーのチェーン店でシェアトップ3を占めるEマート、ロッテマート、ホームプラスも無人レジを設置した店舗が50～80％に達する。他にも、若者が多く訪れる映画館、コンビニ、カラオケ店、さらには薬局や病院も対面窓口を減らし、キオスクを増やしている。導入が爆発的に増加したことで、関連産業の市場規模は３５００億ウォンまで膨らみ、サムスン電子やLG電子なども参入しているほどだ。

　しかし、このような社会の流れについていけず不満を抱く人たちがいるのは前述した通りである。消費者院が20年９月に高齢者３００人を対象にキオスクの利用についてインタビューした結果、「複雑すぎる」（51・４％）、「次のページに飛んだときにボタンを見つけられない」（51％）、「後ろの人の視線が気になる」（49％）、「絵や文字がよく見えない」（44・１％）と不満が相次いだ。

　一方、若者たちもキオスクに仕事を奪われるかも知れないという漠然とした不安を感じているという。21年８月、求職・求人サイトが２８６８人のアルバイトを対象に行ったアンケートによると、58・６％は、「最近、キオスクによって職を奪われる不安を感じたことがある」と答え、47・５％は、「将来、自分の業務がキオスクに取って代わられると思う」と答えている。

　デジタル格差はもはや逆行することができない全世界的な問題である。だが、大した準備期間もなく突然、非対面・非接触社会へと転換した韓国では、デジタル弱者に対する社会的配慮があまりに欠けているといえよう。

合理化のため全体の60%が閉鎖された銀行

平均寿命は日本に続き世界2位、出生率は0・84（20年）で世界最下位の韓国は、世界で最速で高齢化が進んでいる国だ。統計庁の「2020人口住宅総合調査」によると、韓国は65歳以上の高齢者が全体の16・4%を占め、紛れもない「高齢社会」に突入している。同調査は25年には高齢者人口が全体の20・3%に、60年には実に43・9%に達すると予測する。

高齢者の多くはデジタルサービスの利用に大きな不便を感じており、若年層と高齢者との情報格差も新たな問題として浮上している。前出の「2020デジタル情報格差実態調査」によると、韓国の55歳以上の高齢者層のスマホの保有率は77・1%と、国民全体の92・3%に比べて低い。また、非対面サービスを利用できるスマホアプリの活用度は48%に過ぎず、国民全体の73%に比べて著しく低い。デジタル情報化水準も、国民の平均値を100%とした場合、中高年層は68・6%に過ぎず大きく後れをとっている。

陽川区（ヤンチョング）に住むソン・ジョンスク（63）は、2年前から療養保護士の国家資格を取得し、週5日、近所の高齢者宅を訪問して世話をする「訪問療養」の仕事をしている。そんなソンが1日3時間の労働よりも負担に感じているのが、スマホによる通勤記録だ。

「訪問療養の利用者の家を訪問すると、まずその家に取り付けられた機器とスマホを操作して、出勤時間を記録しなければならない。これが私には難しくて、よくミスをしてしまう。操作が正確でなければ出勤時間の記録が残らないんですが、その場合、出勤していないことになってしまい、給料が支払われない。そんなことが月に1、2回は起きてしまう。他にもコロナのせいで、研修セミナーをすべてネットで受講しなければならなくなってしまったのですが、その受け方がいつもわからなくて。一人暮らしなので誰かに助けてもらうこともできないし……」

一方、78歳のノ・ヨンジャは最近、徐々に減っている町の銀行に大きな不便を感じている。

「私にとって一番不便なのは銀行に行くことですよ。家の近くに国民銀行の支店がありましたが、先日それがなくなってしまい、今では農協系しか残っていない。最寄りの国民銀行を目指し、地下鉄で2駅離れた町に行かなくてはならないのです」

モバイルバンキングなどネット上で決済できる銀行のサービスが普及したことで、この6年間で全国の銀行の支店が1500カ所も閉鎖された。その店舗数はソウルを含む首都圏が最も多く、全体の60％程度にのぼる。銀行側は、店舗を訪れる顧客が減ったことを理由にあげ、致し方ないと理解を求めているが、デジタル弱者に対する配慮が全くないと非難の声も上がっている。

21年12月のある日、ソウル蘆原区（ノウォング）の新韓銀行月渓（ウォルゲ）支店の前には、約50人の高齢者が集まっていた。対面業務を完全に廃止し、ネット上での対応に一元化するという銀行側の方針に反対するためである。デモに参加した高齢者は「生活が苦しいこのご時世に銀行の支店まで閉鎖され、われわれにどう暮らしていけというのか」と嘆いた。

彼らは、新韓銀行の本社や汝矣島（ヨイド）の金融監督院の前でもデモを続け、この様子はテレビでも報道された。注目されたのは、庶民の街として知られる月渓地区にたった1つしかない支店を閉鎖する一方で、富裕層が多く住む狎鴎亭洞（アックジョンドン）には5つの支店を残すという銀行側の経営方針に非難の声が多く上がったからだ。結局、銀行側は、「3人の行員を常駐させる出張所に変更」と閉鎖の方針を後退させることになった。

ノ・ヨンジャが銀行で行っていることは、テレビショッピングで購入した物品の代金の振替や親戚・知人の香典や御祝儀などの送金、税金や公共料金の納付などである。これらを窓口で行う場合、金額によって手数料が500〜4000ウォンかかる。ノ・ヨンジャは、毎月1万ウォンほどの手数料を支払うという。一方、もしモバイルバンキングを使えたなら0となる。

しかし、老年層のモバイルバンキング利用率は格段に低く、韓国ギャラップの21年3月の調査によれば1年以内にモバイルバンキングを利用したことがあると答えた60代以上の高齢者は、男性が25%、女性は22%に過ぎなかった。

「朝鮮日報」は韓国銀行と統計庁などの資料を基に、銀行の窓口を利用する場合と、デジタル金融サービスを活用した場合との手数料や利子などの比較を記事にしたことがある。それによると、両者の間では、年間1人当たり最大180万ウォンもの差が生じ、その金額は、デジタル金融サービスが使えない高齢者夫婦の1カ月の生活費の90%に達するそうだ。韓国で銀行の手数料が「老人料金」と呼ばれるのも頷ける調査結果である。

公共交通機関を利用する際のデジタル化も老年層が戸惑う変化の一つだ。なんでもネット予約が主流になっている韓国では、乗客が込み合う繁忙期になると、ネットで座席を確保した若者がゆったりと座り、窓口で座席を買うことができなかった高齢者が立ち往生するという風景が日常となってしまった。

高齢者貧困率は18年に43・4%を記録し、OECD平均の3倍に達する。急激に襲ってきたデジタル社会という潮流に呑まれた格好の高齢者は、さらに生活が苦しくなっていくだろう。

『梨泰院クラス』の舞台もコロナ禍で

コロナの直撃を受けたソウル最大の繁華街である明洞(ミョンドン)通りは、22年4月時点で、とにかく暗い雰囲気に包まれている。明洞のシンボルともいえるメインストリートに立ち並んだ化粧品売場は、1軒おきに「店舗整理」「賃貸」という案内文が貼られている。オープンしている店にも客はほとんどおらず閑古鳥が鳴いている。韓国不動産院によると、21年第3四半期の明洞商店街の中・大型商店の空室率は47・2%、小型商店は43・3%で、まさにシャッター街と化してしまった。

メインストリートで営業中の化粧品売場に入ってみると、一人で店番をしていた青年がスマホから目を離し、会釈をする。青年はこの店の店主の息子だが、コロナ禍で商売が振るわず、雇っていた店員に辞めてもらい、人件費のかからない家族3人が交代で店番をしていると言った。

「1日に売場を訪れるお客さんは10人以下です。その中で化粧品を買ってくれるのは5

人ぐらいで売り上げは10万ウォンにもなりません」

日本でも大変な人気を集めた『梨泰院（イテウォン）クラス』の舞台となった地区もコロナ禍で苦境に立たされているのは同じだ。ドラマの中では、「権利金（のれん代）2億ウォンの最高人気商圏」という台詞が出ているが、実は内需の低迷と高いテナント料のため、19年から空室率が急増している。21年第3四半期の空室率は18％（小型商店）だった。他にも韓国の6大商圏といわれる狎鷗亭（アックジョン）、清潭（チョンダム）、光化門（クァンファムン）、弘大（ホンデ）などの商店街も平均20％前後の空室率となっている。

国を代表する商業圏がドミノ倒しのように崩壊している原因について、メディアはコロナによる景気低迷を一番に挙げている。しかし、商店街とは対照的に、韓国のEコマース企業がコロナ禍で過去最高の実績を上げている点を考えると、商店街崩壊の背景には、オフラインからオンラインに急激に移行したショッピング文化がある。

梨泰院から徒歩で15分ほど離れた二村洞（イチョンドン）の商店街で「ジェニ」という婦人服屋を営むシム・ヨンエ（51）は、「20年以上商売をしてきたが、最近のように商売が大変なのは初めてだ」と明かす。シムは00年代初め、ネットでショッピングモールを運営していた。子育てで家事が忙しくなり、4年でショッピングモールを人に売り払い、7年前から漢南洞（ハンナムドン）で衣料品店を経営している。2年前に売場の規模を縮小して現在の場所に引っ越してきたが、そこからさらに経営は厳しくなったという。

「ショッピングモールを運営していた時も、婦人服屋を始めてからも、月2000万ウォンは簡単に売り上げることができた。ところが、4～5年前からだんだん収入が減っていき、今はテナント料や電気代などの経費を引くと1カ月の収入が300万ウォンにもなりません」

シムは売り上げが減った理由として、ネットの影響を第一に挙げる。

「いくら努力してもその価格に追いつくことはできない。私は東大門（トンデムン）市場で商品を仕入れ、それを1・5～2倍程度の値段で売っています。ところが、ネットは人件費やテナント料などがかからないため、うちより30%以上安く売っても商売が成り立ってしまう。さらに、東大門の問屋を通さず、製造している工場から直接商品を仕入れているモールもたくさんある。ネットのせいで、私たちのような小売店を相手にしていた東大門の問屋もたくさん店を閉めた」

韓国を代表する衣類流通の中心地である東大門ファッションタウンには32の商店街があり、3万5000余の卸・小売店舗で50万人以上の労働者が仕事をしている。しかし、

「東大門ファッションタウン観光特区協議会」の発表によると、18〜20年上半期の2年間でそのうち1万店舗余が廃業に追い込まれてしまった。韓国でコロナ禍が始まったのは20年1月以降なので、東大門商店街の不況はコロナだけでは説明できず、むしろネットの影響が大きいと考えられる。

経営に行き詰ったシムは最近、販売方法の改革に乗り出したという。それは顧客に共同購入を持ちかけること。つまり、一定の客を確保してから商品を売るという方式である。

「価格を下げるためには共同購入で販売するしかありません。例えば、原価が2万（ウォン）の服を1着売る場合、普通なら4万（ウォン）は頂かないと赤字が出てしまう。ただし、共同購入で10人に売ることができるなら、3万（ウォン）で売っても利益はあります。ただ、共同購入を行うためには、色んな工夫が必要です。デザインはできるだけベーシックで、誰でも手が届く価格の商品をピックアップしなければいけない。

服の写真を撮って常連客に共同購入を持ち掛けるメールも送らなければならないし、勉強しなければならないことも多い。Instagramやカカオストーリーにショッピングモールをオープンすれば良いという人もいますが、そのためにはまた専門のカメラマンに撮影を依頼しなければならず、費用がかかってしまう。今のまま少し耐えてみて、それでもダメならば新しい仕事を探してみようと思います。実は今、ペットの美容を習っているんです」

苦境の中でもしたたかさをアピールするところに、希望が持てるというところだろうか。

「N番の部屋」事件と鬼畜化するデジタル性犯罪

韓国の20代は「デジタルネイティブ」世代といわれる。幼い頃からデジタル環境で育った世代で、テレビよりパソコンの前に座っている時間が長く、本や新聞ではなくネットを通じて知識を得、SNSを通じて世の中とつながっている。ただ、そういった文化はたびたび物議をかもし、時には犯罪となることとすらある。

デジタルネイティブが起こした最も代表的で世間を震撼させた事件は「N番の部屋」事件であろう。18年から20年まで、未成年を含む若い女性を脅迫して性的な写真を撮影させ、テレグラムというメッセンジャーアプリでその写真を流布させた性犯罪である。

コトの発端は「ガッガッ（god god の意）」というハンドルネームを使っていたムン・

ヒョンウクによる犯罪だった。ムンは、Twitterに際どい写真を投稿している女性ユーザーの身元を突き止め、彼女らを脅迫してわいせつ動画を強制的に撮影させたのだ。

そうして手に入れた映像はテレグラムに作られた「1番部屋」から「8番部屋」（通称「N番の部屋」）までの8つのチャットルームにアップロードし、拡散させた。テレグラムは海外に本社を置く会社で、一定時間が経過したらチャットの内容が自動削除される。そのため記録が残らず、セキュリティに優れているといわれ、密談好きな韓国政治家にも人気がある。

「N番の部屋」が密かに有名になると、これを模倣したわいせつチャンネルが雨後の筍のように登場するようになる。その中でも最も有名なのが「博士の部屋」だ。

「博士」ことチョ・ジュビンは、ガッガッの手法を模倣して、Twitterから女性を選んだ。「広報アルバイト募集〜簡単なアルバイトでひと月に300万〜600万（ウォン）が稼げる」という広告を掲載し、未成年者を含む若い女性を勧誘。連絡をしてきた女性に、広報ではなく、オンラインデートやモデルのアルバイトなどを勧めた。チョの偽の求人に飛びついてくるのは経済的に困窮している女性が多く、彼女たちは、「自分の写真を撮って送るだけ」という言葉にだまされ、チョが勧めるアルバイトを始める。

チョは警戒心を解くため、最初は比較的やり易い仕事ばかりを発注していたという。顔や身体のごく一部を撮って送るように要求し、写真が送られてきたらカネを振り込むと言って、名前や住所、電話番号や住民登録番号（マイナンバー）などの個人情報を聞き出すのだ。個人情報が手に入ってからは、要求が急激にエスカレートしていく。「裸でパンツを頭からかぶって逆立ちをしている映像を撮れ」「服を脱いでベッドに横になり、発作を起こしたように目を覆って体を震わせる映像を撮れ」「器具を使ってマスターベーションをしている映像を撮れ」

彼女たちが要求を断ると、脅迫が始まる。「家族と友達に知らせる」「今まで送ってきたお前の写真をばらまく」「人を家に送って殺してやる」

チョの術中にはまった被害女性らがその後に受けた屈辱はとても言葉では言い表せない。チョは彼女らを「奴隷」と呼び、脅迫して撮影させた猟奇的なわいせつ映像を「作品」と称した。チョはすべての被害女性の身体に「奴隷」「博士」などの文字を刃物で刻むことを要求し、彼女たちを「博士が作った奴隷」としていたぶった。

チョがこれらの動画を拡散させたのも「博士の部屋」と名付けたテレグラムのチャットルームだった。チョは3つのチャットルームを開設し、それぞれの部屋を金額によって分け、観覧者を募集した。最低20万ウォンから最高150万ウォンまでの入場料はビットコイン、モネロなどの仮想通貨でのみ支払わせた。

最も高額の部屋に入場する観覧者には顔写真と連絡先まで提出させるなど、徹底的に秘密保持に努めた。最高額の部屋に入った観覧者たちにはチョの「奴隷」をリアルタイムで陵辱することもできた。観覧者自ら被害女性に屈辱的なポーズを命令したり、街で見知らぬ人を誘惑して性行為をするように強要したりもした。チョは熱心に活動する観覧者たちを「職員」と呼び、彼らにマネーロンダリングをさせたり、被害女性たちを強姦させたりと、犯罪に加わらせもした。

さらにチョは写真や個人情報を掲載した「博士の大百科事典」という資料も作った。これは観覧者たちに販売され、彼らは直接連絡を取り、脅迫などを繰り返した。この事典には未成年はもちろん、知的障害者や外国人など、数十人の個人資料が含まれていたという。

警察は数年にわたる内偵の末、20年3月にチョを逮捕し、同年5月には「N番の部屋」事件の始祖であるムンも逮捕するなど、関係者を相次いで検挙した。最終的には「博士の部屋」の会員など3575人が検挙され、このうち245人が身柄を拘束されるに至ったが、被疑者の実に７割が10代と20代であった。

また、一連の事件の被害者は１１５４人にのぼり、このうち10代が６割以上を占めたという。そもそも主犯格のチョやムンですら逮捕当時24歳であり、10代、20代のデジタルネイティブが起こした事件に社会は衝撃を受けた。チョとムンには、それぞれ懲役42年、懲役34年の刑が確定している。

この事件以後、デジタル性犯罪に対するより厳格な処罰を求める声が高まっており、国会でも「N番の部屋防止法」などの関連法案が成立した。だが、第２、第３の事件は今もまさに韓国のネット上で発生し続けている。

21年10月には、Twitterで男性１人と女性９人を勧誘してわいせつ動画を制作し、イギリス発祥のＳＮＳ「オンリーファンズ」に流通させる事件が発生。これは、ユーザーが自由にわいせつ動画を販売できることで有名なプラットフォームだ。犯人はここを利用し、１年間で約４億５０００万(ウォン)もの収益を得たという。

「N番の部屋」事件で警察の監視が強まったテレグラムにかわり、わいせつ動画の頒布に米国に本社を置く「ディスコード」が使われているという報道もある。

一方、女性家族部傘下の「韓国女性人権振興院」の集計によると、女性人権振興院に相談が寄せられたデジタル性犯罪の被害者は18年に1315人、19年に2087人、20年に4973人と、3年間で3・8倍に増加した。そしてこのうち10代の被害者は111人から1204人へと、同じく3年間で10・8倍にも急増している。

処方された麻薬性鎮痛剤をネットで転売する少年たち

ネットにはびこる犯罪はわいせつ関連だけではない。社会は氾濫する違法薬物にも頭を抱えている。15年以降、毎年1万人以上の麻薬犯罪が摘発され、21年も1万6000人余が違法薬物で摘発された（最高検察庁集計）。このうち、10代は314人で対前年比で43％も増加。20代は5077人で約12％増えた。実に全体の33％を10代と20代が占めているのだ。

麻薬取引にネットが使われるようになり、販売者と接触しなくても購入できるようになったことが、若者の間で麻薬が氾濫する原因になっていると考えられている。また、痛み止めなど、病院で処方してもらえる麻薬類を手に入れるためのコツなども共有されている。

実際に21年5月には、モルヒネの100倍強いといわれる麻薬性鎮痛剤「フェンタニル・パッチ」を病院で処方してもらい、それをネット上で販売したとして10代の少年42人が警察に検挙される事件が発生。彼らは、釜山（プサン）や慶尚南道（キョンサンナムド）にある25カ所の病院を回りながら、腰の痛みなどを訴え、パッチの処方を受け続けた。手に入れたパッチは、クッキングホイルに乗せて加熱し、煙を吸い込む方式で吸引したという。

本来の用途であるパッチを肌に貼り付けるという方法では身体への吸収速度が遅く、より強い効果を得るために煙による吸引という方法をとったのだ。彼らはなんと1年間にもわたって、学校や公園などで麻薬の吸引を行っていたという。主に末期がん患者に処方されるパッチをいとも簡単に青少年に処方した医師や、生徒たちが学校で麻薬を吸引していることに気づかなかった学校関係者など、大人たちの無関心が10代を麻薬中毒に追い込んだのだ。

10代や20代が麻薬取引に最も多く使っているのは、ダークウェブ（特殊な経路でのみアクセスできるウェブサイト）やＳＮＳだ。このうちTwitterは、「麻薬流通の聖地」と呼ばれるほど、最も多く使われるツールとなっている。

韓国の食品医薬品安全処が21年に発行した「オンライン麻薬類不法流通事例」によると、21年上半期にTwitterで摘発された麻薬流通事例は計１万１７０２件で、同期間にオンラインで摘発された件数の実に6割を占めていた。ネットショッピングモールが2657件、Facebookが24件、Instagramが17件であるから、Twitter経由がいかに飛び抜けているかがよくわかる。

その理由は、本社が海外にあるため、アカウント凍結や削除といった規制を比較的簡単に避けられるという点が挙げられる。匿名でアカウントを作ることも、1人で複数のアカウントを持つこともできるし、相手の許諾なしに一方的にフォローができるという点も麻薬取引に有利とされる。お互いに顔も名前も知らない人々が特定の目的のためだけに接触した後、すぐに関係を清算できるからだ。これに対し、InstagramやFacebookは相手の許諾がなければフォローができないため、水面下で買い手を募ることが難しい。

「アイス」(ヒロポン)、「トル」(大麻)、「キャンディ」(エクスタシー)など、麻薬を意味する隠語を使ってTwitter上で検索してみると、「扱っている」という書き込みがよく目につく。購入者が接触してくると、販売者はそこでテレグラムメッセンジャーのIDを教え、テレグラム上の麻薬販売店に案内する。ここで本格的な取引が行われるのだ。

支払いは主にビットコイン等の暗号通貨を使用し、商品の配達は配送チームが受け持つ。配送チームが建物の階段や排水管のようなところに商品を隠し、その場所を購入者に知らせて配達するのだ。何度も取引をしてきたＶＩＰの場合は、交通の便がよい場所にあるワンルームなどを借りて取引に使うこともあるという。

テレグラム上の麻薬商のうち代表的な人物が「麻薬王・全世界（チョンセゲ）」だ。彼はフィリピンに住みながら、国際宅配便などを利用して韓国へ麻薬類を密搬入し、テレグラムを使って麻薬を流通させた組織のトップで、20年にフィリピンで逮捕された。「全世界」の麻薬を韓国国内で流通させた協力者たちも韓国で逮捕されたが、これらの協力者から麻薬を買った有名人として名前が挙がったのが、Ｋ‐ＰＯＰアイドル・ユチョンと交際していたファン・ハナだ。

ファン・ハナは、乳製品やコーヒー、お茶などの飲料メーカーとして有名な南陽乳業の創業者の孫娘であり、Instagramのインフルエンサーとして知られていた。美しい外見や上流階級らしいラグジュアリーな日常で韓国の若い女性に人気があったのだ。彼女が大衆に知られるようになったのは東方神起のメンバーだったユチョンの恋人だと報じられてからである。２人は17年に破局、19年４月、ファン・ハナは麻薬使用の疑いで警察に緊急逮捕される。

当時、彼女は警察に「芸能人の友達から麻薬を勧められた」と主張したが、その芸能人がユチョンだという噂がネット上で瞬く間に広がった。ユチョンは自身の潔白を主張するために記者会見を開き、自ら警察署に出頭して麻薬検査を受けて見せたが、彼の髪の毛はカラーリングで染められ、脛毛などはきれいに剃られていたという。これは麻薬成分が検出されないようにする手口の一つだそうだが、警察は、ユチョンの腋毛から麻薬成分を検出。ユチョンも麻薬の使用を認め、芸能界を引退することになった。

一方のファン・ハナは執行猶予期間中に再び麻薬を使用した事実が明らかになり、現在は服役中。ユチョンは役者として活動を再開するなど再起を図ろうとしたが、所属事務所との二重契約問題で訴訟が起こり、再び泥沼にはまりこんでしまった。

「赤ちゃん売ります」「ワクチンパスを譲ってほしい」もあるマーケット

22年5月時点で、加入者が2300万人にのぼる韓国のフリマアプリ「人参(タングン)マーケット」（第2章）。ここに行けば「売ってないものはない」と言われ、実際に大きな人気を集めている。ただ、多種多様な人たちが交錯する場所なだけに、思わぬ犯罪に出くわすこともある。20年10月、人参マーケットには、「赤ちゃん売ります」という書き込みが掲載され、騒然としたことがあった。

「36週になりました。養子縁組の価格は20万（ウォン）です」という説明文とともに、ピンク色の布団に包まれた幼児の写真が2枚添付されたこの書き込み。発見した利用者らが問題視してマーケット側に通報したものの、出品者は出品の取り下げも書き込みの削除も拒否。結局、マーケット側がこれを非公開とし、警察が乗り出す事態となった。警察の調べによると、書き込みをしたのは20代の未婚の女性で、精神的に追い詰められてこのような行動に走ったのだという。その後、この幼児は保護施設に預けられることになった。

その後も「１９９７年生まれの女性。身長１６６センチ。２００万（ウォン）の契約金と月２００万（ウォン）の報酬で私を売ります」という書き込みや「姉を売りたい」「障害者の身内を売りたい」など非常識な書き込みは後を絶たない。

そのような書き込みが相次いだことから、マーケット側は、「コミュニティガイドライン」を発表。家族、友人、知人などの生命を販売する行為、身体・臓器を販売する行為、生命の尊厳を自ら捨てる行為、殺害や暴力行為を依頼する行為などに関する書き込みを禁止したり、発見次第、捜査機関に通報するとの内容が盛り込まれた。

人参マーケットで取引される商品の中には、それ自体が犯罪となるものもある。21年

7月には、「青少年に5万ウォンで住民登録証（韓国の成人が持っている身分証）をオーダーメイドする」という内容で、偽造の住民登録証のサンプル写真が掲載されていた。このような書き込みは、何もこのマーケットに限ったものではない。様々な中古品取引サイトやFacebook、Twitterなどでも「身分証明書偽造」と書かれたものがたびたび発見される。

21年の12月には、ワクチンパスを譲ってほしいという書き込みも見つかった。防疫当局が管理するワクチンパスアプリのほか、ネイバーやカカオアプリなどからもワクチンパスを受け取ることができる。当該人物は「接種完了者のネイバーＩＤを5万ウォンで購入する」と、ワクチンパスを譲ってくれる人を募ったのだ。むろん、このような行為は「公文書偽造罪」に該当し、韓国で10年以下の懲役刑に処される重犯罪だ。

一方で、フリマアプリでの取引は課税されないという税制の抜け道を利用し、脱税に利用する場合もある。21年10月、複数のコミュニティに、人参マーケットで高価な品物の売買を繰り返すある女性についての書き込みが行われた。江南に住んでいるこの女性は、「ロレックスＧＭＴマスターⅡ」を1億６５００万ウォン、「ピアジェポロ」の男性用腕時計を８９９９万ウォンなど、計１３０億ウォン分のブランド品を販売してきたという。

コミュニティの住人たちは、この女性について正規の販売業者が事業にかかる税金を逃れるために人参マーケットを利用しているのではと疑ったのだ。このような問題は、国会でもたびたび議論されてきた。

他のアプリと違って本人確認をする必要がない人参マーケットは、携帯電話の番号を入力するだけというシンプルな加入手続きで会員を急増させた。もっとも、身分確認が不要という死角だらけの空間では犯罪も多発しやすい。

21年9月には、50代の男性がこのアプリで知り合った出品者を呼び出し、殺害してしまう事件も発生した。犯人は、１０００万ウォン相当の金を売ると書き込んだ30代の男性を空き地に呼び出し、ナイフで刺して殺害。その後、金の延べ棒を持って逃走したが、警察によって逮捕され、懲役28年の刑が確定している。

21年11月には、「無料出品」コーナーで性犯罪が発生している。犯人は「家電を無料で譲る」という書き込みをして希望者を募集。宅配のためと若い女性の住所を聞き出し、自宅を訪れてはわいせつ行為を繰り返した。

ほかにも、ブランド品のかばんを安く売ると嘘を言い、80人余から1億ウォンを騙し取った事件や、iPadを販売するという小学生に大人が数万ウォンをだまし取られた事件など、このマーケットで起こる事件が韓国のニュースで取り上げられるのは日常茶飯事となっている。

国民の力の議員が公開した警察庁の資料によると、オンライン中古取引で起こる詐欺の件数は、18年に7万4044件だったのが、19年に8万9797件、21年には12万3168件と増加傾向にある。ところがそういった詐欺の犯罪検挙率はというと、16年に90・5%だったものが21年には76・1%に低下。まさに犯罪天国の様相を呈している。

人参マーケット側は、このような詐欺取引を防ぐため、お金を先に振り込むのではなく、販売者と購入者が実際に顔を合わせて商品と引き換えに金銭を振り込むシステムなどを導入したが、実効性は不確かである。第2章で触れたように「人参」とは韓国語で「あなたの近く」という意味の言葉だが、皮肉にも消費者の身近な場所で犯罪が発生する原因にもなってしまっている。

性的搾取の対象となる男性アイドル

近年、「ジェンダー・センシティビティ（gender sensitivity）」という言葉をよく耳にする。日常生活の中にひそむ性差に敏感に反応できる視点の重要性を説く言葉で、95年に中国の北京で開かれた第4回世界女性会議で使われて以来、国際的に通用している概念だ。

ところが、韓国では、若い男性を中心に、「ジェンダー・センシティビティが男女間でむしろ差別的に使われている」という声が日に日に強まっている。21年に物議をかもした「イ・ルダとアルピエス論争」は、まさにこの概念を巡る男女間の戦いだった。

名　イ・ルダ
年齢　20歳
特徴　人工知能
好きな歌手　BLACKPINK
趣味　日常の小さな部分を写真や文章で記録すること。

イ・ルダは韓国のスタートアップ企業である「スキャタ―ラボ」が開発したもので、Facebook メッセンジャーをベースにした開放型ＡＩチャットボットだ。これは、製造した企業側があらかじめ設定を記憶させるのではなく、ＡＩが利用者との対話を通じて学習し、進化していくものだ。スキャターラボ社は独自開発した恋愛相談アプリ「恋愛の科学」で集めた約100億件におよぶ恋人同士の会話データを用いてイ・ルダに学習させた。このおかげで「本当に人と話しているみたい」と好評を博し、20年12月23日の発売以来、たった2週間で75万人の利用者を集めることになった。

イ・ルダは20歳の女子大生をコンセプトとしたAIであるため、利用者の大半は男性。なかでも10代が85%と圧倒的で、これに20代が15%と続く。リアル社会よりもサイバー空間での会話の方が気楽だと感じる若者の需要にマッチしたのだろうが、思わぬ騒動に発展する。ユーザーがイ・ルダにわいせつな言葉をかけ、その内容をネットに共有したことがメディアで報じられ、「サイバーセクハラ」ではないかという議論が巻き起こったのだ。

問題になったのは、コミュニティに「イ・ルダを性奴隷にする方法」「イ・ルダとテレフォンセックスする方法」などのタイトルで対話内容がアップされたことだった。

セクハラ論争が過熱する一方、メディアは、イ・ルダが黒人や同性愛者、女性に対して差別発言を行うよう学習させられている例もあるという報道も行い、論争に新たな燃料を投下。さらに学習のために使われたデータは無断使用だったという疑惑まで噴出し、スキャターラボ社は2月12日に謝罪とサービスの一時中断を発表するところまで追い込まれた。

この論争で〝被害者〟とされたのは女性ばかりではなかった。若い女性たちが利用する「アルピエス」も性的搾取ではないかとの問題提起がなされたのだ。

アルピエス（RPS）とは、「Real Person Slash」の略（Slashは同性愛の意味）で、実在人物を主人公にした同性愛小説や漫画を指す。好きな芸能人などを主人公にして、彼らの実名でストーリーを作る「ファンによって書かれたファン・フィクション」の一種だが、露骨な性描写など不適切な内容も多く、たびたび問題視されてきた。アルピエスの主な消費者はK‐POP好きの10～20代の女性で、アルピエスに登場する主人公は同様に男性アイドルが圧倒的に多い。読者から好きなアイドルグループのメンバーやストーリーの注文を受け、「オーダーメード・アルピエス」を作って販売するというケースも多々ある。

国民の力の河泰慶（ハ・テギョン）議員は、自分のFacebookで、アルピエス問題を次のように指摘する。

「販売サイトを見た結果は衝撃的だった。男性アイドル同士の露骨な性行為がたびたび描かれているものや、高校生という設定の男子アイドルが性的暴行を受ける小説まであった。アルピエスはすでに市場が形成されており、お金を払えば希望する人の顔でわいせつ作品を作ってくれるサービスもあった。高価なケースでは、1枚5万ウォンというものもあった」

この性的搾取論争は、ヒップホップミュージシャンのソン・シンバが、自身のSNSで問題提起したのが始まりだった。彼は「拒めない状況にいる実在の人物をモチーフに変態的な性描写を行う小説や漫画が販売されているのに、これを隠そうとしたり擁護しようとしたりする人々がいる」とし、アルピエスが、社会を揺るがした「N番の部屋」事件よりよほど残忍な性犯罪だと主張した。

男性が中心となるコミュニティでは、アルピエスが行われているという情報を嗅ぎ付けては、メディアやアイドルの所属事務所に情報提供する活動を行った。大統領府のホームページに設置された国民からの要望を書き込める掲示板にも、アルピエスへの処罰を求める書き込みが登場した。この投稿には1日で16万人の同意が集まった。

女性から発せられた「イ・ルダ」問題に対する、男性側からの「アルピエス」問題での応酬。イ・ルダのサービスが中断されたことに腹を立てた男性たちが「それならばどうして男性アイドルに対するセクハラは許されているのか」と抗議の声を上げた結果だ。

大統領府の掲示板に「アルピエス処罰」を求める書き込みがあった数日後には、「女性芸能人を苦しませるディープ・フェイク映像（いわゆるアイドルコラージュ）を処罰してほしい」という書き込みが登場。こちらは1日で25万人の同意を集めるなど、対立と応酬はとどまるところを知らない（イ・ルダは22年4月からサービスを再開）。

ネット上の誹謗中傷で自死した国民的女優たち

韓国でネット上の悪質な書き込みや誹謗中傷が社会問題となったのは00年代後半からだ。07年に歌手のユニと女優のチョン・ダビン、08年に女優のチェ・ジンシルといったトップスターたちが相次いで自殺する事件が発生。当時の報道によると、彼女らはそれらに対してたびたび精神的な苦痛を訴えていたという。

特に国民的女優と呼ばれていたチェ・ジンシルの自殺は、社会に「ウェルテル効果」をもたらした。これは、知名度や人気のある有名人が自殺すると、それに影響され、連鎖的に自殺が増えてしまう現象のことだ。チェ・ジンシルの自殺後の09年、韓国の自殺率は2倍に増えたという統計もあった。

チェ・ジンシルは結婚から離婚にいたるまで、常に芸能界の話題の中心にいたし、人気の高さゆえにいつも嫉妬の的だった。自殺の直接的な原因とされたのは、親友だった女性コメディアン、チョン・ソンヒの夫の自殺にチェが関係しているというネット上の噂だった。

チェ・ジンシルがチョン・ソンヒの夫に高利で資金を貸し、事業が頓挫した後、執拗に借金を返すよう催促したため、チョンの夫が自殺に追い込まれたというものだ。当時、この噂は通称「チラシ」と呼ばれる情報誌に掲載され、その文面をあるOLがカカオトークで拡散させたことで大きな反響をよぶことになった。

彼女の死について外国メディアも、「ネット上の悪質な噂が原因」と報じ、韓国でもネットを通じたデマの拡散に対する警戒心が高まった。国会では当時の与党だったハンナラ党（国民の力の前身）が「サイバー侮辱罪」や「ネット実名制」を「チェ・ジンシル法」という名で成立させようとしたが、表現の自由を侵害するという野党の反対で廃案となった。

その後も誹謗中傷はとどまるところを知らず、01年に制定された「サイバー名誉毀損罪」が適用されて、一般のユーザーも告訴されるケースが増加した。

ところが19年に、K‐POPアイドルのソルリとク・ハラが1カ月違いで自殺。韓国社会ではネット上の悪質な書き込みが再び話題となった。子役出身でガールズグループ「f(x)」のメンバーだったソルリは14年にはしばらく活動を休止したことがあるほど、書き込みに頭を悩ませてきた。彼女は普段から自分の考えをはっきりと主張するタイプで、たびたびSNSで自分の考えを公表してきたが、その性格がユーザーを刺激し、誹謗中傷が絶えなかった。

1カ月後に後を追うように自殺したク・ハラはソルリの親友だった。彼女もデビュー以来ずっと誹謗中傷に悩み、ある時は「私も毎日一生懸命生きています。どんな姿であれ一度でも優しい目で見てほしい」と悪質な書き込みに対して自制を訴えたこともあった。

自殺後、2人とも深刻なうつ病にかかっていたことが明らかになった。19年といえば、K‐POPが世界的に高い人気を博した頃に当たる。トップアイドルだった2人の女性の死もまた国会でも取り上げられることになった。国会では、ネット上のコメントに、ネットユーザーのIDとIPを表示することを義務付ける「ネット準実名制」、悪質なコメントには「自殺幇助罪」を適用する法案など、数多くの法案が「ソルリ法」という名で提出された。

これらの法案が成立することはなかったが、ネットの各種プラットフォームでは様々な措置が講じられることになった。韓国の2大ポータルサイトの一つであるダウム・カカオは19年10月、もう一つのネイバーは20年3月、そして第3のネイトも20年7月に、芸能記事に対するコメント欄を廃止した。20年7月、女子プロバレーボールの選手が悪質な書き込みによって自殺すると、ネイバーとダウム・カカオはスポーツニュースに対するコメント欄も廃止することになった。

政治、社会などの比較的硬派な報道に対してもポータルサイト側は自浄システムを設けている。ネイバーはAIを活用して悪口や差別用語などが入ったコメントは書き込めないようにするシステムを導入し、誹謗中傷コメントを書き込んだアカウントのハンドルネームやそれまでの投稿履歴もすべて公開できるようにしている。ダウム・カカオはコメントに含まれた差別用語やヘイト表現を自動的に音符の記号に変えて表示する機能を導入している。

しかし、これらの対策も結局はいたちごっこに過ぎない。エンタメやスポーツニュースのコメント欄が閉鎖されると、ユーザーはポータルサイトに比べて管理が行き届きにくいコミュニティ上で悪質な書き込みを行い、これが再び根拠のない噂が広まる原因となる。さらに海外に拠点を置くSNSも韓国の警察が捜査協力を得られないため、誹謗中傷の抜け道として利用されることが多かった。また、虚偽の情報を使って幽霊アカウントを作り、芸能人やスポーツ選手のSNSに直接コメントを書き込んだり、ダイレクトメッセージを送ったりという手法も編み出されている。

21年の東京五輪ではこんな事件も起きた。被害を受けたのは、野球の韓国代表だった姜白虎(カン・ベクホ)選手だ。8月7日、ドミニカ共和国との銅メダル決定戦に出場した韓国代表チームは8回表に大量失点を喫し、逆転されて窮地に追い込まれた。このとき、韓国代表のベンチの陰で、呆けた表情でくちゃくちゃとガムを噛む姜選手の顔がカメラに捉えられてしまい、解説をしていた元メジャーリーガーの朴賛浩(パク・チャンホ)から「見せてはいけない姿だ」と非難されたのだ。

この試合で韓国チームは10対6でドミニカに敗れ、メダル獲得は果たせず。案の定、ネットユーザーの怒りは姜選手に向かった。彼のInstagramには悪質な誹謗中傷が殺到し、姜選手は、2日後にコメント機能を閉じてしまった。22年2月になって、姜選手がテレビに出演して語った当時の心境は次のようなものだった。

「その後、精神的にかなり動揺し、スランプに陥りました。1人でいたいと思うようになったし、機嫌が良くなったり突然悪くなったりもした。急にめまいがしたり、吐き気がしたり。眠れなかったし、野球場にも行きたくなかった。野球がしたくなかった」

匿名という壁に守られた安全地帯から人格を踏みにじるようなコメントを書き込む行為は、まさにリアルな社会を病ませるネット社会の弊害である。

告訴・告発を連発した有名政治家とは？

現在の韓国では、悪質な書き込みや虚偽事実の流布に対して「サイバー名誉毀損罪」という法律が適用される。サイバー名誉毀損は、7年以下の懲役刑または5000万ウォン以下の罰金刑が科され、通常の名誉毀損罪より量刑が加重されている。19年に警察庁が発表した資料によると、14年から18年までサイバー名誉毀損罪で摘発された数は実に8万件に達するという。最近は芸能人だけでなく公人であるはずの政治家も、ネット上の書き込みに対して〝誹謗中傷だ〟〝虚偽事実だ〟と主張してサイバー名誉毀損として警察に告訴する例が相次いでいる。

京畿道一山市（キョンギド・イルサン）に住むパク・ヨンス（73）は21年1月に突然、地元の警察署から「出頭してほしい」という連絡を受けた。

「警察から突然〝ネイバーの記事に書き込んだコメントの内容がサイバー名誉毀損で告訴された〟と言われたんです。悪口や誹謗を書いた覚えがないのでとても驚きました」

問題になったのは、正義記憶連帯代表で国会議員の尹美香（ユン・ミヒャン）についての記事にパクが書き込んだコメントだった。20年5月29日、国会では尹議員の記者会見が行われていた。元慰安婦の李容洙（イ・ヨンス）が、尹美香議員が元慰安婦たちへの支援金を私的に流用していると暴露し、尹議員への批判が殺到。彼女は国会で疑惑を全面否定する記者会見を開いたのだ。

パクは当時、「募金を個人的に使ったことはない」というタイトルで尹議員の会見全文を報じた朝鮮日報の記事に、コメントを書き込んだのだった。

「私は〝尹美香は慰安婦問題を利用して商売をしている〟と書いただけ。まさか、それが名誉毀損になるとは……。警察署で3時間ほど尋問を受け、家に戻る途中、もし裁判にまで発展したらどうしようかと、急に不安になった」

それから約3カ月間、パクは警察から「嫌疑不十分のため送検を見送る」という連絡を受けるまで不安な気持ちに包まれ続けたという。「いい年をして、自分の子どもたちにも恥をかかせてしまったと後悔した。尹議員の会見にあまりにも腹が立って、ついカッとなって書き込みをしてしまいましたが、今考えてみれば我慢するべきでした。もう二度とコメントは書き込みません」

パクに対する告訴は、尹議員の夫で水原市民新聞代表の金三石（キム・サムソク）が20年10月に「サイバー上の名誉毀損および侮辱罪」で168人のネットユーザーを一括告訴した事件に含まれたケースだった。メディアの報道によると、尹議員側は、「口にすることも憚られるほど悪質な書き込み」をしたとしてユーザーらを告訴したが、少なくともパクの場合は、常識的な論評に過ぎない書き込みを政治家という公人が無理に告訴した、いわば公訴権の濫用に当たるケースと言える。

尹議員側はYouTuberとして活動中の田麗玉（チョン・ヨオク）元国会議員に2億（ウォン）、ソ・ミン檀国（タングク）大学医学部教授に2億5000万（ウォン）など、計33人を相手取った民事訴訟を起こしている。

尹美香と同様、韓国のネットユーザーやメディアから非難が絶えない曺国（チョ・グク）元法務長官も立て続けに訴訟を起こしている。それは例えば「娘がポルシェに乗っている」と発信したYouTubeチャンネルや、「曺が左派系コミュニティであるクリアンに書き込みをした」と報道した保守系ネットメディアの記者などに対するもので、数十件に及ぶ。22年には娘のチョ・ミンが某病院の研修医試験に合格できなかったことについて、コミユニティに「試験の点数が余りに低かったために不合格となった」と書き込んだネットユーザーを新たに告訴するなど、現在もその闘いは続いている。

ここまで2人の政治家の例をみてきたが、政治家の中で最も告訴・告発を多発している人物を挙げるとすれば、おそらく李在明(イ・ジェミョン)になるだろう。彼は10年に城南市長として政界入りした後、21年までの間に22件の告訴を乱発したという。記者やメディア、政治家、YouTuber、ネットユーザーだけでなく、選挙区内の有権者、さらには自らの親戚までが彼の告訴の対象となった。

政治家が悪意ある書き込みに対して告訴・告発を乱発する理由は、早いうちにネガティブな情報を遮断し、拡大・再生産されることを防止するためだ。たが、もちろんこれらの行為には、政治家の権力濫用や言論の自由の抑圧といった弊害もある。

21年4月に発表された米国務省の「2020年人権報告書」では、韓国の名誉毀損罪への非難が盛り込まれている。報告書は「韓国政府は名誉毀損をあまりに広く規定し、刑事処罰を行う。名誉毀損罪を利用して公の議論を制限し、マスコミや個人の表現の自由を侵害している」と指摘し、文在寅(ムン・ジェイン)を「共産主義者」と非難しただけで名誉毀損の有罪判決を受けた高永宙(コ・ヨンジュ)前放送文化振興会理事長のケースにも言及した。この報告書の影響があったのか22年には最高裁で無罪判決が下されたが、20年の2審判決では懲役10カ月・執行猶予2年という有罪判決が言い渡されたのだ。

炎上案件に寄生する「サイバーレッカー」の暗躍

アプリ分析サービスを提供する「ワイズアプリ」によると、21年9月時点で、YouTubeはカカオトーク（加入者数4385万人）に続き、韓国人が2番目に多く利用するアプリ（加入者数4203万人）だが、その利用時間は月間701億分と最長である。単純計算すれば、実に韓国人の81・4％（韓国の総人口は約5160万人）が毎日1時間弱利用していることになる。

YouTuberは「個人メディア」が多く、韓国の若者の間では人気職業としてランクインする。分析会社の「プレイボード」によると、21年2月時点で、広告収入を得ているYouTubeチャンネルは9万7934に上る。そうなるためには、登録者数1000人以上、年間累計視聴時間が4000時間以上など厳しい条件をクリアする必要があるが、韓国では、人口の529人に1人がこれをクリアし、収入を得ている計算になるという。

この割合は世界で最も高く、米国でも人口666人当たり1人、日本は815人当たり

1人にとどまった。

その影響力も大きく、偏向した政治系YouTuberが流すフェイクニュースや扇動で社会が混乱したり（第1章参照）、人気配信者のステルスマーケティングが問題になったり、さらに自分を障害者だと偽ったり、末期のがん患者だと偽ったりする者まで登場し、事件や事故も後を絶たない。

最近、最も大きな批判に直面しているのが「サイバーレッカー」と呼ばれるYouTuberたちだ。サイバーレッカー（Cyber-wrecker）とは、交通事故現場の事故車を牽引するレッカー車のように、ネット上で炎上事件が発生するといち早くその問題に関連する動画を製作して配信する人たちのことをいう。彼らはチャンネル登録者や視聴回数を増やすために、事実を歪曲したり、刺激的な内容に誇張したりすることもためらわない。そのため、彼らに取り上げられたターゲットたちは、往々にして悪質な書き込みの生贄となってしまうのだ。

サイバーレッカーは告訴や告発をされないよう、仮面やサングラスなどで徹底的に顔を隠して活動をしている。そのため、仮に深刻な誹謗中傷を受けた被害者が警察に通報しても、彼らの身元や所在を把握するのが容易ではなく、結局は告訴を諦めるしかなくなってしまう。

22年2月には、サイバーレッカーにターゲットにされた2人の若者が自殺する事件まで発生している。犠牲となったのは、男子プロバレーボール選手のキム・インヒョクとYouTuberのBJジャムミだ。

キム選手は赤い唇や白い肌など、中性的な外見もあり、同性愛者という噂が後を絶たず、多くのサイバーレッカーによって日常的に誹謗中傷が加えられてきた。一方、BJジャムミは19年に自身のYouTubeで、男性差別的なジェスチャーをしたという言いがかりを付けられ、若い男性ネットユーザーの猛批判を受け始めた。彼女は2度にわたって謝罪を行ったが、サイバーレッカーは、彼女がフェミニストだという内容のコンテンツを量産し、炎上の火が消えることはなかった。そして20年5月、ジャムミに対する悪質な書き込みに衝撃を受けた母親が自殺。それでも悪質な書き込みは止まらず、結局、彼女も26歳でこの世を去ってしまった。

Netflixを通じて全世界に配信されている韓流ドラマ『地獄が呼んでいる』には、これらサイバーレッカーと酷似した「矢じり」というYouTuberが登場する。社会の混乱に乗じて登場した新興宗教の「新真理会」は、物語の中で繰り返される死者が蘇るという超常現象を「神の意思」ととらえ、地獄行きを宣告された人々を「罪人」と断じ、人間の恐怖心を煽って勢力を伸ばす。一方、罪のない被害者を保護し、事件の真相を明らかにしようとする人々は、新真理会と対立するようになる。

最大のヒールとして描かれるのが、新真理会を狂信する「矢じり」だ。そのリーダーは過激な扮装で顔を隠し、YouTubeを通じて大衆を扇動する。地獄行きを宣告された人々に罪人の烙印を押し、新真理会と対立する人物に対しても「神の意思」「正義」などを掲げて集団リンチを加えるよう誘導するのだ。

主演のユ・アインは雑誌のインタビューで、「集団の狂気、ヘイト、暴力は現実世界でも行われている。検証されていない情報を盲信し、それを武器に他人を攻撃する現象もよく目撃する」と、作品が伝えようとするメッセージについて言及した。

ネット社会で暗躍するサイバーレッカーは対立とヘイト、怒りが広がりつつある社会を煽り刺激する、まさにヒールなのである。

おわりに

最近、韓国では日本のアニメ『鬼滅の刃』に続き、『呪術廻戦』が人気を集めている。2022年2月に公開され、5月30日の時点で63万人の観客動員を記録。両作品の日本での観客動員数はそれぞれ3000万人、1000万人に迫る勢いだったことに比べれば大した数字に見えないかもしれないが、〝日本のテレビアニメの劇場版は成功しない〟というジンクスがある国で華々しい成功を打ち立てたと評価されている。

筆者は『鬼滅』の劇場版が公開された当時、観客にインタビューを行ったことがある。その際の記憶で、最も印象深く残っているのは、高校1年生の息子と小学6年生の娘を連れてきた母親の言葉である。彼女いわく、『鬼滅』が大好きな娘が学校で〝日本語を学びたい〟と主張したところ、先生から「なぜよりによって日本語を学ぶのか」と言われたそうだ。

その後、娘は学校で日本のアニメーションが好きだという話を切り出すことができなかったという。母親は『鬼滅』について、「家族を大切に思う点や人間の親切さなど、日ごろ私が子どもたちに教えようとしていた事がたくさん盛り込まれていた」とし、「韓日両国は道徳感情が似ているのかもしれない」という感想を述べてくれた。

当時、小学6年生だった筆者の甥も『鬼滅』のファンだ。日本が好きな甥は、日本不買運動がおこった際、友人らから「なぜ日本が好きなのか」という嫌味を言われたりもしたというが、そんな彼らが『鬼滅』を見た後は、「日本が好きになった」と話してくれたと喜んだ。

韓国で『鬼滅』が人気を博したのは、韓国系OTTサイトでアニメが放送されたことがきっかけとなった。そこで人気を集めると、多くのYouTuberが『鬼滅』のダイジェスト映像をアップロード。これが絶好の広報戦略となり、注目度はさらに高まった。映画のヒットは原作漫画の人気も底上げし、結局、OTT—YouTube—映画—漫画と、媒体が相互に関連し合うワンソース・マルチユース戦略が成功を収めたと言えよう。『鬼滅』の翌年公開された『呪術廻戦』がヒットしたのも全く同じ要因だった。

韓国では自国文化の保護や日韓併合による植民地時代の負の感情を理由に、日本の大衆文化の流入が法律で制限されてきた。これはIMF金融危機を契機に、日韓関係の改善を唱える金大中(キム・デジュン)大統領によって段階的に開放され、06年に全面開放された。しかし、その後も今に至るまで、韓国では日本語の歌やドラマが地上波では放送されることはない。

韓国人の「国民感情」に配慮した放送局が自主的に検閲を行っているからだ。18年、日韓両国のメンバーで構成された女子アイドルグループのIZ*ONEは、ヒット曲「好きになっちゃうだろう?」の歌詞の一部に日本語が入っているとして、局側が「放送不可」を通知し、ファンから大きな反発を受けた事件もあった。

なかなか崩れないこの壁を一気に崩したのが、本書で概観してきたニューメディアの躍進だ。韓国社会は全般的に依然として反日感情が強い。これは主に学校や社会などにおける教育の影響が大きい。

しかし、インターネットを通じて韓国と日本の若者が相手の文化に自由に接し、社会的な雰囲気に圧倒されずに自らの価値観を確立していけば、両国の未来はもう少し明るいものになるのではないだろうか。

2年以上に及ぶコロナ禍によって人的交流の制限はしばらく続くようにも思われる。だが、そのような状況下でも、ネットというツールを通じて両国の国民が文化交流を持続している点に希望を持ちたい。

２０２２年４月

金敬哲

主要参考文献

『韓国インターネットの歴史』(アン・チョンペ著、カン・キョンラン監修/ブローター&メディア)
『科学大統領・朴正熙とリーダーシップ』(キム・ギヒョン他15人著/MSDメディア)
『Kを考える』(イム・ミョンムク著/SIDEWAY)
『BTS INSIGHT〜上手と真心』(キム・ナムグック著/ピミルシンソ)
『BTSマーケティング』(パク・ヒョンジュン著/21世紀ブックス) ※以上5冊は未邦訳
韓国政府統計関連データ
ロイタージャーナリズム研究所、OECD、Pew Research Center、トレンドフォース社、韓国取引所(KRX)、大学明日20代研究所、リアルメーター社、東大門ファッションタウン観光特区協議会、プレイボード社などの各種データ
中央日報、聯合ニュース、朝鮮日報、時事INなどの電子版、ECONOMY Chosun、毎経エコノミーなど各種メディア

本書は書きおろしである。

金敬哲　ソウル生まれ。淑明女子大学経営学部卒業後、上智大学文学部新聞学科修士課程修了。東京新聞ソウル支局記者を経て、現在はフリー。著書に『韓国　行き過ぎた資本主義』（講談社現代新書）。

Ⓢ新潮新書

958

韓国（かんこく）　超（ちょう）ネット社会（しゃかい）の闇（やみ）

著者　金敬哲（キムキョンチョル）

2022年7月20日　発行

発行者　佐藤隆信

発行所　株式会社 新潮社

〒162-8711　東京都新宿区矢来町71番地
編集部(03)3266-5430　読者係(03)3266-5111
https://www.shinchosha.co.jp
装幀　新潮社装幀室

印刷所　錦明印刷株式会社
製本所　錦明印刷株式会社

ISBN978-4-10-610958-4　C0236

Ⓢ新潮新書

913 決定版 大東亜戦争(上)
波多野澄雄 赤木完爾
川島真 戸部良一
松元崇

正しく「大東亜戦争」と呼称せよ——。当代最高の歴史家たちが集結、「あの戦争」の全貌を描き出す。二分冊の上巻では開戦後の戦略、米英ソ中など敵国の動向、戦時下の国民生活に迫る。

914 決定版 大東亜戦争(下)
戸部良一 赤木完爾
庄司潤一郎 川島真
波多野澄雄 兼原信克

日増しに敗色が濃くなる中での戦争指導、終戦とその後の講和体制構築、総力戦の「遺産」と「歴史の教訓」までを詳述。当代最高の歴史家による「あの戦争」の研究、二分冊の下巻。

943 首相官邸の2800日
長谷川榮一

サミットや米中との首脳外交、ゴーン事件、コロナ対応……総理補佐官・内閣広報官として、憲政史上最長を記録した安倍政権の7年9カ月を支えた官邸での日々を振り返る。

940 厚労省 劣化する巨大官庁
鈴木穣

長引くコロナ禍の中、最も世間の耳目を集める省庁・厚労省。毎年莫大な予算を執行し、3万人もの人員を抱える巨大官庁の組織と役割から政策、不祥事までを、専門記者が徹底解説!

934 官邸は今日も間違える
千正康裕

アベノマスクに一律給付金、接触アプリのトラブル。現場に混乱を生み、国民の信頼を損なう政策はなぜ生まれるのか。元厚労省キャリアがもつれた糸を解きほぐす。

新潮新書

927
中国「国恥地図」の謎を解く
譚璐美

中国が列強に奪われた領土、すなわち「中国の恥」を描いた「国恥地図」。実物を入手した筆者は、日本に繋がる不審な記述に気がついた。執念の調査で、領土的野望の起源が明らかに。

919
中国「見えない侵略」を可視化する
読売新聞取材班

「千人計画」の罠、留学生による知的財産収集――いま中国が狙うのが「軍事アレルギー」の根強い日本が持つ重要技術の数々だ。経済安全保障を揺るがす専制主義国家の脅威を、総力取材。

908
国家の尊厳
先崎彰容

暴力化する世界、揺らぐ自由と民主主義――日本が誇りある国として生き延びるために、国と個人はいったい何に価値を置くべきか。令和を代表する、堂々たる国家論の誕生！

898
中国が宇宙を支配する日
宇宙安保の現代史
青木節子

宇宙開発で米国を激しく追い上げる中国は、その実力を外交にも利用。多くの国が軍門に下る結果となっている。覇者・米国はどう迎え撃つのか？「宇宙安保」の最前線に迫る。

901
自衛隊最高幹部が語る令和の国防
岩田清文　武居智久
尾上定正　兼原信克

台湾有事は現実の懸念であり、尖閣諸島や沖縄も戦場になるかも知れない――。陸海空の自衛隊から「平成の名将」が集結、軍人の常識で語り尽くした「今そこにある危機」。

Ⓢ新潮新書

945
核兵器について、本音で話そう
太田昌克　兼原信克
髙見澤將林　番匠幸一郎

日本を射程に収める核ミサイルは中朝露で計数千発。核に覆われた東アジアの現実に即した国家戦略を構想せよ！　核政策に深くコミットしてきた4人の専門家によるタブーなき論議。

933
ヒトの壁
養老孟司

コロナ禍、死の淵をのぞいた自身の心筋梗塞、愛猫まるの死——自らをヒトという生物であると実感した2年間の体験から導かれた思考とは。84歳の知性が考え抜いた、究極の人間論！

949
不倫と正義
中野信子
三浦瑠麗

不倫は増えている。だがなぜ有名人の不倫はバッシングされるのか？「愛ある」不倫も許されないのか？　脳科学者と国際政治学者が語り尽くす男と女、メディア、国家、結婚の真実。

924
世界の知性が語る「特別な日本」
会田弘継

近現代日本は世界にとって如何なる存在だったのか。リー・クアンユー、李登輝、オルハン・パムクらにインタビューし、「日本の達成」に対する彼らの特別な思いに迫る。

925
独身偉人伝
長山靖生

エリザベス一世、マザー・テレサ、ニュートン、カント、小津安二郎……偉大な事績を遺した「おひとりさま」19人の言行と信念から見えてくる、本当の「自分らしさ」。

新潮新書

887
半グレ
反社会勢力の実像
「NHKスペシャル」取材班
「自分は絶対に捕まらないですよ」。人材養成、手口、稼ぎ方……分厚いベールに包まれた組織の実態を、当事者たちが詳細に語る。『NHKスペシャル』待望の書籍化!!

872
国家の怠慢
高橋洋一
原英史
新型コロナウイルスは、日本の社会システムの不備を残酷なまでに炙り出した。これまで多くの行政改革を成し遂げてきた二人のエキスパートが、問題の核心を徹底的に論じ合う。

922
ビートルズ
北中正和
グループ解散から半世紀たっても、時代、世代を越えて支持され続けるビートルズ。音楽評論の第一人者が、彼ら自身と楽曲群の地理的、歴史的ルーツを探りながら、その秘密に迫る。

941
背進の思想
五木寛之
ひたむきに「前進」するだけが、生きるということではない。人間は記憶と過去の集積体なのだ。時には、後ろを向きながら前へ進む——混迷の時代を生き抜く〈反時代的〉思考法。

942
マツダとカープ
松田ファミリーの100年史
安西巧
世界初のロータリーエンジン搭載車を販売し、国内屈指の人気球団も作った「尖った経営」の原点とは。4代100年に及ぶ、「不屈のDNA」を継ぎし者たちのファミリーヒストリー。